À toi, pour toujours,
ta Marie-Lou

DU MÊME AUTEUR

ROMANS, RÉCITS ET CONTES

Contes pour buveurs attardés, Éditions du Jour, 1966; BQ, 1996
La Cité dans l'œuf, Éditions du Jour, 1969; BQ, 1997
C't'à ton tour, Laura Cadieux, Éditions du Jour, 1973; BQ, 1997
Le Cœur découvert, Leméac, 1986; Babel, 1995
Les Vues animées, Leméac, 1990; Babel, 1999
Douze coups de théâtre, Leméac, 1992; Babel, 1997
Le Cœur éclaté, Leméac, 1993; Babel, 1995
Un ange cornu avec des ailes de tôle, Leméac/Actes Sud, 1994; Babel, 1996
La Nuit des princes charmants, Leméac/Actes Sud, 1995; Babel, 2000
Quarante-quatre minutes, quarante-quatre secondes, Leméac/Actes Sud, 1997
Hôtel Bristol, New York, N.Y., Leméac/Actes Sud, 1999
L'Homme qui entendait siffler une bouilloire, Leméac/Actes Sud, 2001
Bonbons assortis, Leméac/Actes Sud, 2002

CHRONIQUES DU PLATEAU-MONT-ROYAL

La Grosse Femme d'à côté est enceinte, Leméac, 1978; Babel, 1995
Thérèse et Pierrette à l'école des Saints-Anges, Leméac, 1980; Grasset, 1983; Babel, 1995
La Duchesse et le Roturier, Leméac, 1982; Grasset, 1984; BQ, 1992
Des nouvelles d'Édouard, Leméac, 1984; Babel, 1997
Le Premier Quartier de la lune, Leméac, 1989; Babel, 1999
Un objet de beauté, Leméac/Actes Sud, 1997
Chroniques du Plateau-Mont-Royal, Leméac/Actes Sud, coll. «Thesaurus», 2000

THÉÂTRE

En pièces détachées, Leméac, 1970
Trois petits tours, Leméac, 1971
À toi, pour toujours, ta Marie-Lou, Leméac, 1971
Les Belles-Sœurs, Leméac, 1972
Demain matin, Montréal m'attend, Leméac, 1972; 1995
Hosanna suivi de *La Duchesse de Langeais*, Leméac, 1973; 1984
Bonjour, là, bonjour, Leméac, 1974
Les Héros de mon enfance, Leméac, 1976
Sainte Carmen de la Main suivi de *Surprise! Surprise!*, Leméac, 1976
Damnée Manon, sacrée Sandra, Leméac, 1977
L'Impromptu d'Outremont, Leméac, 1980
Les Anciennes Odeurs, Leméac, 1981
Albertine en cinq temps, Leméac, 1984
Le Vrai Monde?, Leméac, 1987
Nelligan, Leméac, 1990
La Maison suspendue, Leméac, 1990
Le Train, Leméac, 1990
Théâtre I, Leméac/Actes Sud-Papiers, 1991
Marcel poursuivi par les chiens, Leméac, 1992
En circuit fermé, Leméac, 1994
Messe solennelle pour une pleine lune d'été, Leméac, 1996
Encore une fois, si vous permettez, Leméac, 1998
L'État des lieux, Leméac, 2002
Le Passé antérieur, Leméac, 2003

MICHEL TREMBLAY

À toi, pour toujours, ta Marie-Lou

Introduction de Michel Bélair

LEMÉAC

Couverture : Michel Tremblay, photographie Les Paparazzi, 1992

Leméac Éditeur remercie le ministère du Patrimoine canadien, le Conseil des arts du Canada, la Société de développement des entreprises culturelles du Québec (SODEC) et le Programme de crédit d'impôt du Gouvernement du Québec du soutien accordé à son programme de publication.

ISBN 0-7761-0020-3

© Copyright Ottawa 1971 par Leméac Éditeur Inc.
4609, rue d'Iberville, 3ᵉ étage, Montréal (Québec) H2H 2L9
Dépôt légal – Bibliothèque nationale du Québec, 1ᵉʳ trimestre 1971

Imprimé au Canada

À toi, pour toujours,
ta Marie-Lou
ou
Quand Michel
Tremblay se permet
d'espérer

par
Michel Bélair

Six bouteilles de bière, une télévision, des lampions, une chaise de cuisine tirée un peu à l'écart : tels sont peut-être les personnages les plus vivants et les plus authentiques de cette dernière pièce de Michel Tremblay. Dans ce monde figé, celui de toutes les Marie-Lou, des cadavres en sursis récitent les litanies et l'écœurement perpétuel. Personne ne bouge, personne ne se regarde. Tout est mort. Empesé. Gris.

Marie-Louise est rivée à sa télévision, Léopold à ses bouteilles de bière. Manon se momifie peu à peu en s'entourant de chapelets, de lampions et d'images pieuses. Carmen se retire en sachant qu'il n'y a plus rien à faire. Rien à dire. Tout est fini, joué d'avance et perdu depuis longtemps. Pourtant, la pièce n'est pas encore commencée ; pas une réplique, pas un mot n'a été prononcé...

Ce monde d'objets, ces personnages médiocres qui sont ceux de Michel Tremblay, tout cela s'agitera une fois de plus. Les morts bougeront dans leur tombe. Les mots aussi. Chacun, seul dans son petit coin, essaiera de tirer la couverture de son côté, de se faire un « trou » à tout prix. En tapant du pied, en vidant des bouteilles de bière, en gueulant contre les idées cochonnes ou

7

en jouant au martyr, tous ces médiocres se mettront à donner des coups de griffes, à mordre dans leurs plaies vives. Mais, la scène est déjà jouée, c'est celle des Belles-sœurs, de En pièces détachées et des Trois petits tours. On y retrouvera les mêmes thèmes, les mêmes schémas de comportement, presque les mêmes personnages. Tremblay se répéterait-il? De la même façon que l'on dit de l'histoire qu'elle se répète, il est des situations qui ne peuvent que se répéter. À dix ans d'intervalle, Manon ne répète-t-elle pas Marie-Louise? Toutes les Manon ne peuvent de fait que répéter toutes les Marie-Louise que le Québec engendre, produites en série depuis des générations. Aussi cruel, aussi répétitif que soit le jugement, il importe de prendre conscience du fait qu'il stigmatise une situation encore présente, encore trop présente.

Dans À toi, pour toujours, ta Marie-Lou, *Michel Tremblay pousse plus avant encore son entreprise de dénonciation. Son monde, on l'a déjà dit, est un univers fermé qui n'offre que peu de sorties possibles. Ce dernier texte en propose pourtant deux: la lumière se fait peu à peu. Non pas que l'éclairage soit d'ores et déjà éblouissant (on se persuadera bien vite du contraire!) mais bien que ses personnages, que quelques-uns de ses personnages, plutôt, commencent à prendre conscience de leur médiocrité. Alors que certains s'efforcent encore de faire pitié, d'autres en sont déjà à l'étape suivante: celle de la vie et de l'action. Bien sûr, ce n'est surtout pas la réussite totale: Carmen, le seul personnage de l'univers de Tremblay à avoir trouvé «sa» solution, n'en est qu'au Rodéo. Ce n'est pas encore la Place des Arts; mais c'est peut-être un peu plus positif que le*

Coconut Inn. *Quant à Léopold, malgré ses faiblesses, malgré ses «trous», il a lui aussi trouvé la réponse à ses interrogations; une réponse certes négative, mais une réponse quand même puisqu'elle implique une lucidité que l'on ne retrouvait guère dans les textes précédents de Michel Tremblay. Il y a sans doute un monde entre le suicide et la chanson western; pour certains même, la ressemblance semblera frappante. Pour Michel Tremblay, pourtant, la différence est fondamentale: c'est celle que l'on peut poser entre les* Belles-Sœurs *et* À toi, pour toujours, ta Marie-Lou. *C'est celle qui existe entre l'espérance de la lucidité et la lucidité engendrée par l'espérance.*

ESSAYER DE FAIRE PITIÉ

Quoi que l'on puisse dire, il y a déjà longtemps que le Québec est entré dans l'ère de la spécialisation: on peut être spécialiste en tout... Ici, pourtant, l'on est depuis longtemps, comme le dit Léopold, des «spécialistes des yeux dans la graisse de binne» à l'instar de Marie-Louise. Le Québec a déjà connu ses saints martyrs; il en commet pourtant encore à chaque jour, le martyr étant l'un des comportements de base de tout bon Québécois qui se respecte. Marie-Louise en est du moins une illustration concrète. Pour elle, la pitié a presque valeur de métier; il y a vingt ans qu'elle l'exerce auprès de Léopold. Passant la majeure partie de son temps à s'apitoyer sur elle-même, Marie-Louise incarne le type même de la mère québécoise. De la mère québécoise qui passe ses journées à s'occuper des enfants et de la maison, « à torcher ses petits » par devoir. Et qui en a assez. Qui en a assez parce qu'elle sait qu'elle ne peut faire autre chose, que cela fait partie de sa _condition de mère de famille._ Comme toutes les Marie-Louise du Québec, celle de Léopold a déjà réalisé depuis longtemps qu'elle ne pourra pas s'en sortir et que la vie est plate parce qu'il n'y a pas d'autre chose à y faire que de s'occuper des autres. _Marie-Louise est une femme responsable ; responsable des autres. Responsable de ses enfants,_ responsable de son mari, responsable de _tout sauf d'elle-même._ Conditionnée par une éducation religieuse qui étendait, qui étend sans doute encore, ses ramifications jusqu'au niveau des plus simples gestes quotidiens, elle a à assumer la liberté des autres pour qu'ils ne pensent pas à la prendre. Le procédé est assez subtil, il faut l'admettre, mais il se pratique, telle une religion, à l'échelle nationale !

Tout cela est lié en fait à un principe premier : faire pitié. Provoquer la pitié. Marie-Louise ne peut pas s'en sortir, elle a donc droit à une _revanche_ : celle de _la culpabilisation._ Tout le monde est coupable sauf elle. Si elle est malheureuse, la faute en incombe à Léopold : « J'ai mis le pied dans'marde quand j'tai dit oui... Léopold. » Marie-Louise fait pitié parce qu'elle est condamnée à rester à la maison, parce qu'elle ne peut pas se payer de beurre de peanuts crunchy pendant que Léopold boit sa bière, parce qu'elle s'est fait violer trois fois en quinze ans. La pitié, cela se construit comme une démonstration algébrique ; et ça se paye ! Cela se paye en montrant aux autres qu'ils sont coupables. Léopold est coupable de l'avoir laissée traîner à la maison avec les couches à laver, avec les enfants à torcher. Léopold

10

est coupable de l'existence médiocre qu'elle mène depuis quinze ans : <u>Léopold est coupable</u>, responsable de tout ce qu'elle a à subir et de tout ce qu'elle n'a pas :

LÉOPOLD — C'est ça, c'est toujours de ma faute...
MARIE-LOUISE —Ben oui, c'est toujours de ta faute !
LÉOPOLD — Toute la marde qui nous tombe sur la tête, c'est toujours de ma faute...
MARIE-LOUISE — Oui... toujours...
LÉOPOLD — ... jamais de la tienne...
MARIE-LOUISE — C'est toujours de ta maudite faute, toujours ! J'ai beau tout essayer pour nous en sortir, on se retrouve toujours un peu plus bas...

Marie-Louise fait donc pitié : c'est un fait, même Léopold ne peut pas le nier. Sonne alors l'heure de la revanche ! Les possibilités sont multiples, Marie-Louise n'a qu'à choisir dans le tas. La méchanceté d'abord : Marie-Louise rappelle à Léopold que son père, ses sœurs et ses tantes sont fous... et qu'il pourrait fort bien finir de la même façon lui aussi. Ensuite, le bébé ; celui qu'ils ne peuvent surtout pas se payer, celui qu'elle ne désire pas... mais qu'elle aura quand même et dont elle prendra soin, comme une bébelle qu'elle pourra brandir aux yeux de tout le monde <u>quand le besoin s'en fera sentir.</u>
Tous ces agissements, toutes ces tactiques ne visent en fait qu'à une chose primordiale : la pitié. « Pis... y'auraient pitié de moé. J'pourrais continuer de tricoter en paix, pis j'saurais qu'au moins le monde ont pitié de moé... » Marie-Louise n'est pas folle : elle est malheureuse. Comme toutes les Marie-Louise qui

s'efforcent encore de faire pitié, c'est là le seul moyen qu'elle connaisse d'atténuer un peu le vide de son existence en s'en déchargeant sur les autres. Ce n'est pas là une exception; Michel Tremblay a trop le don des observations justes. Le comportement de Marie-Louise est inscrit profondément au cœur de ce qu'on l'on peut appeler la sensibilité québécoise. Elle n'est surtout pas la seule à fonctionner de cette façon; tous, à des degrés divers, nous sommes tributaires du même schéma de comportement. Le meilleur exemple en est sans doute la réaction que provoquera cette pièce; l'on ne pourra s'empêcher dans un premier temps de prendre Marie-Louise en pitié, ne s'apercevant de son manège qu'à la toute fin. Lorsque l'on est Québécois, il y a des conditionnements que l'on ne peut renier facilement...

Manon en est peut-être l'exemple le plus frappant. Pour elle, sa mère était une sainte et son père un écœurant qui l'a rendue malheureuse pour le restant de ses jours. Tout ce qu'elle sait faire, c'est de répéter ce que sa mère a fait avant elle; sans Léopold cependant. Masochiste à souhait ainsi que le lui fait remarquer Carmen, Manon n'a plus aucun contact avec la réalité, elle vit dans un rêve; celui du passé, celui de sa mère. Elle aussi a la vocation d'être malheureuse: il en faut toujours pour perpétuer la tradition. Espérant secrètement un Léopold qui la consacrera définitivement martyre, Manon ne peut que répéter des gestes appris par cœur, ceux de Marie-Louise. Aussi « religieuse », aussi frustrée, aussi désespérément bornée que sa mère, Manon ne pourra plus vivre que dans des images en priant pour le jour où elle aura enfin les moyens de faire aussi pitié que Marie-Louise. Pourtant, même là, ses

désirs ne seront pas exaucés puisque Carmen, la seule
en fait qui puisse la béatifier puisqu'elle fait partie à
la fois de son présent et de son passé, la quittera en lui
disant qu'elle ne réussit même pas à faire pitié... Toute
seule, ne convainquant finalement qu'elle-même, Manon
se momicfiera donc peu à peu dans ses chapelets.

Manon n'est pourtant pas la seule à être toute
seule ; autant qu'elle, Marie-Louise, Léopold et Carmen
font partie d'un univers commun où la médiocrité,
l'incommunicabilité, la frustration et l'humiliation
sont des données courantes. Séparés par de profondes
coupures, tous ces personnages vivent en fait dans ce
que Marie-Louise appelle des « cellules de tu-seuls ».

LES CELLULES DE « TU-SEULS »

MARIE-LOUISE — Nous autres, quand on se marie,
c'est pour être tu-seuls ensemble. Toé, t'es tu-seule,
ton mari à côté de toé est tu-seul, pis tes enfants sont
tu-seuls de leur bord... Pis tout le monde se regarde
comme chien et chat... Une gang de tu-seuls ensemble,
c'est ça qu'on est ! (...) Pis tu pars... Pis tu fondes une
nouvelle cellule de tu-seuls...

Marie-Louise aurait voulu tracer la généalogie du Solitude.
personnage type de Michel Tremblay qu'elle n'aurait
pas fait mieux. Cet univers de femmes frustrées,
d'hommes absents ou débiles, d'alcooliques et de
détraqués découpe en fait une multitude de cellules de
tu-seuls. Qu'il s'agisse de l'assemblée des belles-sœurs,
des personnages de En pièces détachées*, des* Trois
petits tours *ou même de* La Duchesse de Langeais, *une*

*constante se détache : la solitude. Chez Tremblay, tout
le monde est seul. Cette solitude est d'autant plus vraie,
d'autant plus sentie qu'elle s'impose comme une sorte
de cadre autour et à l'intérieur duquel se tresserait le
monde de Michel Tremblay.*

*Que l'on pense par exemple à un fond de cour
entouré de façades délavées percées d'une multitude
de fenêtres ouvertes les unes sur les autres*[1]. *Avec le
minimum d'imagination, l'on retrouvera là, à l'intérieur
de chacune de ces cellules percées d'une fenêtre, tous
les personnages de Tremblay. Dans le même fond de
cour, séparés à peine d'un palier, se côtoient Johnny
Mangano, Léopold, Hélène, Gloria Star et Rose Ouimet.
Il suffit de choisir sa fenêtre, sa cellule et l'on passe d'un
texte de Tremblay à un autre. À ce titre, les personnages
de* À toi, pour toujours, ta Marie-Lou *ne font certes pas
exception à la règle. Eux aussi, ils originent du même
fond de cour, eux aussi ils font en sorte que Michel
Tremblay se répète, qu'il décrive encore le même univers
concentrationnaire. Pourtant, ces cellules de tu-seuls ne
sont pas que des lieux physiques ; elles s'orchestrent
différemment selon les données propres à chaque drame
intérieur. Il y a même plusieurs types de cellules de
tu-seuls et, à l'énumération, l'on se surprendra à
retrouver les principaux thèmes des pièces de Tremblay ;
la folie, la médiocrité, le cul, la frustration, la non-
communication en sont des exemples types.*

---

1. Paul Blouin a d'ailleurs eu cette idée ; c.f. *En pièces détachées*
présenté aux *Beaux Dimanches* le 7 mars 1971.

De fait, l'on pourrait définir la cellule de tu-seul comme un monde à part, fermé. Comme une barrière ; comme une situation de fait. Chacun des personnages de Marie-Lou y est cantonné. Léopold par sa médiocrité et sa possible folie ; Marie-Louise par son problème de cul et par la frustration qui en découle ; Manon par sa religiosité étroitement liée à une frustration originant de troubles sexuels. Tous sont touchés. Sauf Carmen et l'on verra pourquoi. La cellule de tu-seul, de quelque façon qu'elle s'articule, est donc le propre d'une catégorie bien particulière : celle des gens qui n'en sont pas sortis. Qui ne sont pas sortis de leur médiocrité et qui, de plus, n'en ont qu'à peine conscience. Michel Tremblay, rappelons-le, ne s'est pas donné comme mission d'absoudre mais bien de dénoncer ; le texte de Marie-Lou en est peut-être la meilleure preuve que l'on puisse donner.

Dans le cas de Léopold, par exemple, il est tout à fait conscient du fait qu'il est menacé par la folie. Telle une barrière supplémentaire le coupant définitivement du monde, la tare familiale risque de s'abattre sur lui à tout instant s'il ne cesse de boire. Dans ce cas bien précis, à l'instar du Marcel-Claude de En pièces détachées, la folie s'imposerait comme une sorte de renforcement supplémentaire du pourtour de la cellule dans laquelle Léopold est déjà enfermé. Mais il continue à boire. Il continue à boire pour perpétuer l'illusion qu'il lui est encore possible de rencontrer quelqu'un à la taverne, quelqu'un qui viendra s'asseoir à sa table et qui lui parlera. Qui percera la frontière de sa solitude et qui lui permettra de sortir de ce monde de tu-seuls qui le menace d'autant plus. Rien ne se produit pourtant et le long monologue de Léopold est assez explicite en ce sens : « C'est vrai que j'devrais pas boire... Mais que c'est qui me resterait, câlice, que c'est qui me resterait dans le monde ? Chus toujours ben pas pour me mettre à aller à'taverne rien que pour boire du Seven-up! Que c'est que les autres diraient! Mes chums... mes chums... »

Léopold a raison de s'inquiéter et Marie-Louise ne se gêne d'ailleurs pas pour le lui faire remarquer : la folie est une des <u>articulations les plus populaires</u>, les plus à la mode de la cellule de tu-seuls. Toute la famille de Léopold y a passé. Comme si la sempiternelle frustration engendrée par la médiocrité du milieu ne pouvait déboucher que sur une incarcération encore plus profonde, le thème de la folie est l'un des plus présents de toute l'œuvre de Tremblay. Presque chaque pièce, presque chaque famille a droit à son fou. Peut-être parce que la réalité n'offre pas de sorties possibles, les habitants du fond de cour sont presque tous, à une ou deux exceptions près, des fous en puissance. La cellule de tu-seuls ne pardonne pas ; lorsque l'on essaie d'en sortir, en buvant comme Léopold ou en priant comme Manon, les risques s'amplifient et ne débouchent finalement que sur une double faillite. En plus d'être membres à part entière de la cellule de tu-seuls originale, ceux qui essaient de s'en tirer ne réussissent en fait qu'à creuser une autre tranchée, qu'à recréer une autre cellule...

Léopold n'est d'ailleurs pas le seul à s'enfermer à double tour dans sa solitude ; Marie-Louise et Manon répètent elles aussi, avec quelques variations, le même processus d'aliénation. En plus de passer la majeure partie de son temps à faire pitié et à essayer de prendre une revanche sur les autres, Marie-Louise est

16

cantonnée dans une frustration permanente. *Originant fondamentalement de son problème de cul, ainsi que le lui fait remarquer Léopold, cette frustration permanente modèle la majorité des comportements de Marie-Louise. C'est elle qui lui dicte son comportement de martyre. C'est elle qui lui fait détester tout ce qui l'entoure et qui fait en sorte qu'elle refuse d'admettre sa situation de femme frustrée. Les choses cochonnes, c'est pour les animaux, pas pour elle. Le plaisir également. Là aussi, la machine tourne à vide; là aussi, le cercle vicieux s'impose de toute évidence et ne conduit de fait Marie-Louise qu'à s'enfoncer davantage dans sa condition de femme frustrée. Plus on y réfère, plus la cellule de tu-seuls prend de l'ampleur, plus elle se creuse.*

Cela est encore plus probant chez Manon. Elle qui ne sait que répéter des comportements appris, ceux de Marie-Louise, qui n'a eu comme réflexe que de s'enfermer dans une religiosité qui n'est en fait qu'un calque de celle de sa mère, est une illustration concrète de ce que Tremblay appellerait dans sa langue du «patchage»! Manon se leurre et c'est ce que Carmen essaie de lui faire comprendre pendant toute la pièce. Coupée de la réalité, ne vivant plus que sur le souvenir de ce qui s'est passé il y a dix ans, Manon affiche une démission totale qui ne sert qu'à la séquestrer encore plus. N'ayant même pas l'énergie nécessaire pour se forger sa propre cellule, Manon a dû emprunter celle de Marie-Louise. Son isolement n'en est que plus prononcé.

Léopold, Marie-Louise et Manon vivent donc dans des cellules de tu-seuls. Que ce soit par le biais de la folie, du cul ou de la religiosité, ils y sont engagés tous les trois jusqu'au cou. Malgré les profondes divergences qui marquent leur façon d'habiter leur cellule, il est toutefois possible d'y retrouver une cause, une explication commune : celle de l'incommunicabilité. Léopold et Marie-Louise ne se parlent pas; ils s'engueulent. Ne se regardant jamais, ne voulant surtout pas se comprendre de peur d'y laisser quelque chose, l'exercice de la parole n'a surtout pas de valeur curative pour eux. Lorsque Marie-Louise parle, c'est pour affirmer la culpabilité de Léopold alors que lui ne peut exprimer que sa médiocrité. Aucun point commun, aucune possibilité d'entente ou même de communication à quelque niveau que ce soit. Ne pouvant accepter leurs propres faiblesses, leurs propres trous, Marie-Louise et Léopold ne peuvent surtout pas les communiquer. Quant à Manon, elle n'est en ce sens qu'un stéréotype de Marie-Louise, ce qui rend sa situation encore plus tragique. Il n'y a de fait qu'une exception à la règle : Carmen.

Carmen est à plusieurs égards un personnage tout à fait nouveau dans l'œuvre de Michel Tremblay. Alors que Marie-Louise pourrait facilement être une des belles-sœurs, que Manon a des allures de vieille fille en puissance et que Léopold est une sorte de Henri un peu plus lucide, Carmen, elle, ne répète aucun des personnages types de Tremblay. Au premier abord, pourtant, on pourrait la rapprocher de la Pierrette des Belles-sœurs; en y regardant d'un peu plus près, cependant, l'on doit admettre que la ressemblance est loin d'être frappante. Alors que Pierrette est encore profondément malheureuse et qu'elle essaie en quelque sorte de justifier son existence et se comparant à la famille, Carmen, elle, a atteint pour la première fois dans

18

l'œuvre de Tremblay à <u>une maturité et à une autonomie</u> <u>complète qui est celle du bonheur</u>. *Un bonheur que l'on verra à définir un peu plus loin. Par rapport à la cellule de tu-seuls cependant, le rapprochement Pierrette/ Carmen permet d'établir une comparaison intéressante.*

Pour Manon, qui est ici le seul juge de Carmen puisque Marie-Louise et Léopold ne sont plus de ce monde, Carmen est une putain. Un cirque ambulant.

MANON — Qui c'est qui est putain sur la rue Saint-Laurent ?

CARMEN — Chus pas putain sur la rue Saint-Laurent ! Chus pas putain pantoute ! Tu parles en vraie femme d'Église, Manon ! Tout ce qui dépasse le pas de ta porte, tu le comprends pas, t'essayes même pas de le comprendre, pis tu t'arranges pour l'interpréter de travers ! (...) Pis même si j'serais putain sur la rue Saint-Laurent, ça s'rait moins fou que d'être vieille fille sur la rue Visitation !

Comme si tout ce qui se trouvait à l'extérieur du monde de tu-seuls était condamnable, Carmen est pour Manon une sorte d'incarnation du mal. Hors de la cellule, point de salut ! Parce qu'elle s'en est sortie, parce qu'elle ne fonctionne plus selon les normes du fond de cour, parce qu'elle est heureuse, Carmen est la contradiction vivante de Manon et de ses semblables. Pour elle, Carmen est sale, souillée à jamais par l'extérieur. Aussi ne comprend-elle surtout pas sa démarche lorsque Carmen lui offre de l'aider à sortir de son trou. De la même façon que la Pierrette des Belles-Sœurs, *Carmen est donc rejetée parce qu'elle a*

19

elle-même rejeté les valeurs du monde de tu-seuls. Elle est une putain : une femme qui a pris le parti de vivre, renonçant de ce fait au stéréotype du fond de cour. Il est donc évident que, pour Manon, la solution de Carmen est inacceptable. Inacceptable parce que Carmen fait la preuve que la cellule de tu-seuls est un leurre ; une barrière factice condamnant à la médiocrité et contre laquelle il faut se révolter. Carmen a réalisé une chose : que la cellule n'est qu'un des multiples moyens dont Marie-Louise, par exemple, se sert pour faire pitié. La folie, le cul, la médiocrité, l'incommunicabilité, tout cela existe, bien sûr ; il faut pourtant considérer le degré de crédibilité que toutes les Marie-Louise et que toutes les Manon accordent à ces facteurs indéniablement négatifs. Jusqu'à les engendrer presque, jusqu'à les produire en série pour que la démonstration soit encore plus frappante de vérité... Procédé stérile entre tous, il met néanmoins en relief un processus d'autodestruction que Michel Tremblay est peut-être le premier à avoir dévoilé de façon si claire.

Le temps des pleurs et des apitoiements est révolu ; pour la première fois dans l'œuvre de Tremblay, quelqu'un a choisi d'être heureux, et l'est devenu ! La passivité ayant depuis longtemps fait ses preuves, il est peut-être temps de passer à la révolte !

LA RÉVOLTE

Personne, dans les textes de Tremblay, ne s'est encore mis à poser des bombes ou à prôner la révolution ; pourtant, À toi, pour toujours, ta Marie-Lou *est une pièce politique en ce qu'elle implique une sorte de* choix social et politique. *Carmen n'est certes pas une révolutionnaire ; les chanteuses western le sont rarement... Elle incarne néanmoins une vérité première : celle de la révolte. Révolte contre le milieu ; révolte contre la passivité et la résignation du fond de cour. Révolte contre la cellule de tu-seuls, contre le procédé de Marie-Louise. Dès le départ, dès l'accident de Marie-Louise et Léopold, Carmen n'accepte pas de se voir condamnée ; rejetant le lent embaumement de la cellule de tu-seuls, elle choisit de vivre, de faire quelque chose. Voilà une démarche tout à fait neuve dans l'œuvre de Michel Tremblay. Pour la première fois, quelqu'un se choisit au détriment de l'image qu'il peut projeter, quelqu'un* choisit de faire autre chose que d'essayer de ressembler à tout le monde. *Premier personnage de Michel Tremblay à accéder au bonheur, Carmen n'y arrive donc en fait que par la révolte.*

Elle a posé un acte : celui de quitter la maison. Elle voulait faire une chose et elle y est arrivée. Chanteuse western au Rodéo, Carmen est heureuse parce qu'elle fait ce qu'elle veut faire. Lorsqu'elle retourne voir Manon, ce n'est pas, comme Pierrette dans les Belles-Sœurs, *pour essayer de se persuader qu'elle a raison. Carmen n'a pas besoin de Manon pour le savoir : elle est heureuse. Si elle retourne sur la rue Visitation, c'est pour que Manon s'en sorte aussi. S'étant donné toutes les chances d'être heureuse, Carmen a ouvert la voie et elle veut aider Manon à suivre la sienne. On s'étonnera de trouver tant de lucidité, tant de conscience des choses chez un personnage de Michel Tremblay ; Carmen est en effet le prototype du personnage qui s'est réalisé par la révolte et qui, surtout,* a conscience de l'avoir fait. *Elle* n'est pourtant pas la seule à avoir tenté l'expérience, même si elle est la seule à l'avoir réussie. *Le suicide de Léopold, ainsi que nous le verrons plus loin, est un autre exemple de lucidité clairvoyante. De même, outre la révolte par les actes,* À toi, pour toujours, ta Marie-Lou *est truffé de multiples exemples de révolte verbale.*

Le monologue de Marie-Louise et celui de Léopold en sont des exemples frappants. Ne pouvant rien faire pour remédier à la situation, Marie-Louise explose contre sa mère et contre l'éducation sexuelle qu'elle en a reçue; sa révolte est violente et le langage prend ici valeur d'exorcisme. Comme si, en nommant les choses, en disant ce qu'elles sont, Marie-Louise réussissait à en atténuer la portée et à en désamorcer toute la valeur négative. Léopold fait de même lors de sa longue diatribe contre la spécialisation; rejoignant les angoisses d'un secteur important de la main-d'œuvre «spécialisée», il repose en fait le problème de sa frustration qui se poursuit jusque dans son milieu de travail. Bloquée, serrée de tous côtés, sa révolte est un long cri qui prendra tout son sens dans son geste final. Quant à Manon, profondément offusquée par les paroles de Carmen, elle ne saura elle aussi réagir que par une révolte verbale, les actes qu'elle pose ne lui étant dictés que par son conditionnement religieux. Tous donc, à quelque niveau que ce soit, expriment une révolte contre l'existence; les personnages de Tremblay n'ont certes pas lu Camus, mais ils sont tous des hommes révoltés. Cela ne se retrouve d'ailleurs pas que dans Marie-Lou; que l'on se réfère à tous les autres textes de Tremblay, on y retrouvera toujours cette constante de révolte. Habituellement verbale, comme si le langage pouvait servir d'exorcisme, elle est aussi parfois traduite par des actes comme dans le cas de Hélène/Thérèse de En pièces détachées. *Pourtant, malgré toutes ces révoltes plus ou moins contenues, plus ou moins exprimées, aucune jusqu'ici ne s'était révélée positive. La duchesse de Langeais a beau se révolter pendant quarante minutes, son existence ne s'en trouve pas transformée et elle n'en sort certes pas plus heureuse... Dans* À toi, pour toujours, ta Marie-Lou, *pour la première fois, une révolte se solde par un bilan positif: Carmen est heureuse. Pourquoi? Il faut peut-être fouiller l'«écriture» de Michel Tremblay pour en trouver les raisons profondes.*

L'ÉCRITURE DE MICHEL TREMBLAY

Si l'on admet qu'une «écriture» traduit toujours l'Histoire et le parti que l'on y prend, que l'auteur y prend, Marie-Lou *est une des pièces les plus significatives de Michel Tremblay. Par son langage, par le milieu qu'il décrit de façon fidèle, Tremblay traduit un monde qu'il connaît bien: celui des quartiers populaires et ouvriers de l'est de Montréal. Cela n'est pas neuf; son écriture le traduisait déjà depuis ses toutes premières pièces. Il y a cependant des choses nouvelles dans* Marie-Lou. *Le milieu est toujours le même, le langage toujours aussi vert. Les personnages se ressemblent, mais, pour la première fois, l'horizon n'est pas complètement fermé. Alors que, dans ses pièces précédentes, Tremblay traduisait une situation, un milieu que rien ne pouvait changer, alors que l'espoir était une donnée absente de tous ces textes profondément gris,* Marie-Lou *laisse place à une lueur. Il y est fait état de «sorties» possibles.*

23

De deux sorties possibles: celle de Carmen et celle de Léopold. Avant de voir ce qu'impliquent ces deux façons de sortir du monde de tu-seuls, il faut constater qu'elles s'inscrivent toujours dans le même contexte. Que Tremblay décrit toujours le même monde désespéré, où les mêmes « trous » sont tout aussi présents qu'ils l'étaient dans Trois petits tours, En pièces détachées *ou* La Duchesse de Langeais. *Extérieurement, rien n'a changé: le fond de cour est toujours le même. C'est peut-être là la principale raison qui fait que, dans* Marie-Lou, *Tremblay fait en sorte de rendre présent le passé culturel de ses personnages; au lieu d'y faire allusion, de le décrire tel qu'il était, il le présentifie de telle sorte qu'il est toujours sur scène. L'action de la pièce est double: ce n'est pas par hasard que Manon/Carmen sont mises en présence de Marie-Louise/Léopold. Incarnant concrètement le passé culturel de leurs deux filles, Marie-Louise et Léopold leur servent de constante référence. En les faisant revivre, en les plaquant sur scène, Tremblay a eu l'idée de génie de présenter ainsi deux moments, deux espaces différents rendant compte de deux temps diamétralement opposés. Comme si l'un, celui de Marie-Louise, Léopold et Manon, datait de l'ère des* Belles-sœurs, *et l'autre, celui de Carmen, d'un temps nouveau quand même profondément impliqué dans ce passé. L'on peut d'ailleurs expliquer par la simple présence de Manon la résurrection de Marie-Louise et Léopold: elle leur ressemble tellement, elle fait tellement référence au même système de valeurs, qu'elle n'est en fait qu'une continuation de ce qu'ils étaient. Peut-on exiger un passé plus présent? Au lieu d'utiliser la technique du flash-back, qui reste toujours une technique, Tremblay a mis en scène le passé culturel de Manon et Carmen afin de montrer concrètement en quoi elles en sont tributaires. Au-delà de la prouesse d'imagination que cela présuppose, il faut voir toute la vérité que la pièce y gagne. Constamment superposés, les comportements de Manon s'imposeront alors comme une survivance attardée de ceux de Marie-Louise alors que Léopold apparaîtra à certains moments comme un prophète et que toute l'évolution sous-tendue par le personnage de Carmen transparaîtra de façon claire et évidente. À ce titre, il importe de noter une phrase de Léopold qui dit à Marie-Louise, tout juste avant de partir pour la promenade en auto: «Y'en a de moins en moins du monde comme nous autres, Marie-Louise, pis c'est tant mieux...» Comme s'il voulait signifier par là l'accession de Carmen à la lucidité et au bonheur, Léopold fait ici la preuve de sa propre découverte de la vérité. Préparant sa «sortie», Léopold permet ainsi à Carmen de pouvoir envisager la sienne.*

LES SORTIES

La sortie de Léopold, sa révolte, aussi négative soit-elle, s'impose de toute évidence comme une sortie. Alors que Marie-Louise, elle, n'entrevoit comme possibilité future que la mort de Léopold et qu'elle affirme qu'elle ne sera heureuse qu'à ce moment précis, Léopold, lui, ira jusqu'au suicide. Plus «réaliste» même si entachée d'un cynisme froid, sa solution est beaucoup plus totale que celle de Marie-Louise. Il est en effet évident que pour elle la mort de Léopold ne réglerait rien; prise avec ses quatre enfants au milieu du fond de cour, son existence n'en aurait été que plus minable. De son côté de fait, comme de celui de Manon, aucune sortie possible. Trop profondément encastrées dans les valeurs du monde de tu-seuls, elles ne peuvent surtout pas envisager de se redéfinir en opposition à ces mêmes valeurs.

Léopold non plus d'ailleurs. Il semble qu'il ait brutalement <u>compris qu'il était rendu trop loin</u>, qu'il n'y avait plus pour lui aucun moyen de s'en sortir. Après avoir fait le tour de son monde, celui de la maison, de la taverne et du travail, il est frappé de cette lucidité que procure parfois le désespoir. Rien ne fonctionne plus : rien n'a jamais fonctionné. Avec Marie-Louise, c'est l'enfer ; à la taverne, personne ne lui parle jamais ; quant à son travail, son monologue sur la spécialisation montre bien à quel point là aussi tous les horizons sont fermés. Brusquement, Léopold réalise que rien n'a jamais été possible, que rien ne le sera jamais. <u>Au lieu de continuer à jouer le jeu</u>, de se transformer complètement en légume comme Henri dans En pièces détachées, *Léopold décide en toute lucidité de mettre fin à sa déchéance. Le suicide devient la seule solution possible.*

On peut toutefois se demander pourquoi Léopold décide de sacrifier également Marie-Louise et Roger : trois réponses sont possibles. Ou Léopold a l'intention de se <u>venger de Marie-Louise</u>, ou il a compris qu'elle ne <u>pourrait pas s'en tirer toute seule</u>. Collant plus ou moins à la réalité, ces deux solutions, ces deux explications possibles ne rendent pas compte totalement de la rivalité, de la haine presque qui oppose Léopold à Marie-Louise. Il ne faut pas oublier que Léopold est vu comme un médiocre par Marie-Louise. Comme un médiocre qui n'a pas le courage de ses opinions et qui de fait n'a jamais *rien fait de positif. Aussi faut-il peut-être regarder la scène finale comme un défi. Léopold vient tout juste de déclarer à Marie-Louise qu'il a l'intention de s'écraser sur un pilier du Métropolitain. Pour Marie-Louise, cette affirmation n'est qu'une bravade, comme à l'habitude. <u>Elle ne croit surtout pas que Léopold ira jusqu'au bout</u>: il est trop lâche, trop mou pour commettre un acte de cette envergure. Croyant que Léopold la défie et croyant surtout que ce sera pour elle un moyen de l'écraser davantage puisqu'il n'ira pas jusqu'au bout, Marie-Louise accepte donc de le suivre.*

En ce sens, la sortie de Léopold met un point final à toutes les ambiguïtés. Effaçant tout derrière lui, il laissera un terrain vierge qui permettra à Carmen de «faire le saut» et à Manon de trouver une justification à son existence. Solution de désespoir, elle indique néanmoins une sorte de rejet de tout compromis. Comme si Léopold avait saisi tout le fossé qui sépare le monde des Belles-Sœurs *d'une accession véritable à la réalité et à la conscience lucide, il réalise qu'il est trop tard et qu'il n'y a plus rien à faire sinon que de répéter son existence médiocre. Carmen, elle, est allée beaucoup plus loin.*

Oubliant tout, ne voulant plus se souvenir de rien, Carmen a pris le parti d'être heureuse. D'être libre:

CARMEN — (...) Chus v'nue au monde dans'marde, comme toé, Manon, mais au moins j'essaye de m'en sortir! Au moins j'essaye de m'en sortir!
MANON — En chantant des chansons de cowboy au Rodéo!

CARMEN — Oui, en chantant des chansons de cowboy au Rodéo ! Pour moé, être libre c'est de chanter des chansons de cowboy au Rodéo, pis après ! C'est toujours ben mieux que de rester gommée dans son passé, un chapelet à la main pis les yeux dans le beurre !

Carmen n'en est pas encore à la Place des Arts. On n'invente pas des Ginette Reno tous les jours... Le Rodéo est certes un club de septième ordre : « pis après » ! Ce qui compte c'est que Carmen soit heureuse et qu'elle fasse ce qu'elle a envie de faire. Chacun a sa propre définition du bonheur et cela aussi Carmen l'a compris. Alors que toutes les Marie-Louise et Cie cherchent à s'inventer un bonheur qui appartient aux autres en citant Grace Kelly comme exemple, Carmen a compris qu'il fallait se contenter d'essayer de réaliser le sien. Quel qu'il soit ! Bien sûr, extérieurement, cela ne semble guère reluisant ; pour Manon, c'est même la déchéance totale. Il est bien évident que Carmen ne deviendra jamais une vedette internationale que l'on promènera à travers tous les Holiday Inn du monde, mais cela ne compte pas. Ce qui compte, c'est qu'elle est devenue ce qu'elle voulait être ; qu'elle ait dit non à la médiocrité du fond de cour. Qu'elle ait refusé d'être une Manon et de perpétuer la lignée des Marie-Louise. Qu'elle soit elle-même.

En ce sens, Carmen est le premier personnage de Tremblay à s'être accepté ; cela est d'un intérêt capital. Si l'on remonte à la définition de l'écriture citée plus haut, cela implique des conséquences directes, c'est-à-dire que, même pour Michel Tremblay, il est maintenant possible de sortir du monde des Belles-Sœurs *et de* En pièces détachées. *Le fond de cour est toujours aussi minable; ses valeurs encore solidement établies: pourtant, malgré tout cela, il est désormais possible de s'en sortir non pas de façon artificielle mais en passant par l'acceptation de soi. Michel Tremblay se permet d'espérer; lui qui connaît si bien ce monde de tu-seuls est sans doute le mieux placé pour évaluer toutes les conséquences positives qui se dégagent de ce simple fait. Le monde de Germaine Lauzon est vieux d'une génération déjà: celui de Carmen est peut-être le signe du fait que nous commençons à vivre enfin et que nous nous acceptons tels que nous sommes.*

CONCLUSION

À toi, pour toujours, ta Marie-Lou, est la pièce la plus dure de Michel Tremblay. Tant au point de vue du langage et des thèmes qu'à celui de la progression dramatique et des implications sociales qui s'en dégagent, Marie-Lou *est un petit chef-d'œuvre de cruauté. Jamais Tremblay n'était allé aussi loin; jamais ses personnages n'avaient été si méchants. Si vrais. Marie-Louise et Léopold sont en ce sens peut-être les derniers rejetons de la famille des Belles-Sœurs. Poussant à fond ce que ces dernières n'osaient ou ne pouvaient pas dire, ils les assument tous deux en les menant plus loin. En poussant jusqu'au bout la logique et la pensée du fond de cour.*

Pourtant, même en étant la continuation logique du monde de tu-seuls que Tremblay avait déjà posé dans toutes ses pièces précédentes, Marie-Lou *s'en dissocie totalement. Pour la première fois, quelqu'un réussit à sortir de la « marde ». Pour la première fois, même si le décor n'a pas changé, des personnages de Tremblay accèdent à la conscience. L'un, Léopold, réalisant que le chemin est trop long et qu'il ne peut plus rien changer à quoi que ce soit, choisit la voie du désespoir : il se suicide. L'autre, Carmen, accède à la liberté et au bonheur. Voilà des éléments totalement nouveaux dans le monde de Michel Tremblay. Au-delà des mots,* Marie-Lou *fait la preuve qu'il est possible de s'en tirer ; même de s'en tirer autrement qu'en morceaux.*

Fini le temps des Marie-Louise dont le seul désennui était de s'apitoyer sur elles-mêmes en culpabilisant les autres pour se décharger de toute responsabilité. Fini le temps de la stérilité et des stéréotypes de martyr. Il y a certes encore des femmes frustrées et des légumes. Léopold n'est pas encore un Einstein et Manon continue d'égrener ses chapelets pour perpétuer la tradition. Mais tout n'est pas perdu d'avance ; il y a maintenant une autre facette, un côté positif.

La cellule de tu-seuls n'en est pas pour autant détruite ; la folie, la médiocrité, la frustration, le cul, tout cela existe encore et Marie-Lou *en fait état de façon pour le moins bruyante. L'incommunicabilité reste encore un thème majeur, mais elle a maintenant un répondant : la lucidité. Léopold est lucide, Carmen l'est encore plus. C'est d'ailleurs dans cette espèce de principe d'alternance que réside toute la richesse de cette pièce. Tremblay ne se leurre pas, rien n'est résolu. Les facteurs négatifs le sont tout autant que dans ses autres pièces. Maintenant, pourtant, ses personnages ne « brassent pas que de la marde ». Elle est toujours présente, mais elle peut aussi se transformer en autre chose. L'on peut ainsi expliquer la constante mise en présence de deux temps, de deux plans dans* Marie-Lou : *celui de Carmen et celui des autres.*

Tout est encore là : Carmen ne renie rien. Son passé lui appartient autant qu'à Manon, sauf qu'elle l'assume. Son accession à la conscience ne se traduit pas autrement que par une acceptation. Quinze ans de Léopold et Marie-Louise, cela ne se renie pas, cela ne s'oublie pas ! Sauf qu'il faut vivre et que, contrairement à Manon, Carmen a choisi d'essayer. Rien ne sert de s'apitoyer sur son sort : le passé est ce qu'il est. Au lieu de s'y cantonner et d'y chercher une justification comme Manon, Carmen le prend pour ce qu'il est ; sans plus.

Cela ne mène peut-être qu'au Rodéo, mais, lorsque c'est précisément l'endroit où l'on désire se rendre, on ne peut guère en demander plus...

À toi, pour toujours, ta Marie-Lou *demeure une pièce grise : Tremblay n'en est pas encore à écrire des comédies musicales où tout le monde est heureux en chantant... Reste pourtant qu'elle fait la preuve d'une chose : même lorsqu'on est né « dans 'marde », il est possible de FAIRE QUELQUE CHOSE. Comme Carmen, il s'agit de dépasser la conscience des choses et d'agir même si cela coûtait plusieurs Léopold et Marie-Louise, il faut certes se donner les moyens d'y arriver. Des piliers de Métropolitain, cela se reconstruit facilement...*

31

Personnages :

Marie-Louise (dans la quarantaine)
Léopold (dans la quarantaine)
Carmen (vingt-six ans)
Manon (vingt-cinq ans)

Cette pièce a été créée le 29 avril 1971 au Théâtre de Quat'Sous dans une mise en scène d'André Brassard avec la distribution suivante :

MARIE-LOUISE	Hélène Loiselle
LÉOPOLD	Lionel Villeneuve
CARMEN.................................	Luce Guilbeault
MANON	Rita Lafontaine

Le décor se divise en trois parties : au centre-fond, une cuisine très propre mais très sombre, ornée exclusivement d'images pieuses, de statues, de lampions, etc. ; à gauche, un salon avec un sofa, une télévision et une petite table ; à droite, une table de taverne avec trois chaises. La cuisine doit être le plus réaliste possible, mais les deux autres parties du décor peuvent être incomplètes et même seulement suggérées.

Au fond, au-dessus des trois parties du décor, une immense photo est accrochée, qui représente quatre jeunes filles des années quarante souriant de toutes leurs dents à la caméra. Au bas de la photo, on peut lire : « À toi, pour toujours, ta Marie-Lou ». Au-dessus de la tête d'une des jeunes filles, un enfant a fait une petite croix et a écrit : « Maman, à dix-huit ans ».

La double action de la pièce se passe dans la cuisine mais j'ai voulu « installer » Marie-Louise et Léopold dans les endroits où ils sont le plus heureux au monde : Marie-Louise est donc installée devant sa télévision et elle tricote ; Léopold, lui, est attablé devant une demi-douzaine de bières, à la taverne. Quant à Manon et à Carmen, elles sont vraiment assises dans la cuisine.

Les deux conversations (Marie-Louise — Léopold et Carmen — Manon) se font à dix ans d'intervalle mais elles s'entremêlent sans arrêt ; il est donc très important que le spectateur sente que Marie-Louise et Léopold sont en 1961 et que Carmen et Manon sont en 1971. Il est aussi important (par un changement d'éclairage, peut-être) qu'on s'en rende compte lorsque Carmen et Manon deviennent des personnages du passé, donc des jeunes filles de quinze ou seize ans.

Les personnages ne bougent jamais et ne se regardent jamais. Ils regardent droit devant eux. Marie-Louise et Léopold ne se regarderont que pour les deux dernières répliques de la pièce.

MARIE-LOUISE — Demain...
CARMEN — Aïe...
LÉOPOLD — Ouais...
MANON — Pis...
MARIE-LOUISE — Demain...
CARMEN — Aïe...
LÉOPOLD — Ouais...
MANON — Pis...
(*Silence.*)
MARIE-LOUISE — Demain, faudrait...
CARMEN —Aïe, ça fait déjà...
LÉOPOLD — Oui, j'sais...
MANON — Pis on dirait...
(*Silence.*)
MARIE-LOUISE — Demain, faudrait aller manger sus
    ma mère...
CARMEN — Aïe, ça fait déjà dix ans...
LÉOPOLD — Oui, j'sais.. . pis ça m'écœure...
MANON — Pis on dirait que ça s'est passé hier...
MARIE-LOUISE — Penses-tu que j'ai le goût d'y aller,
    moé?
CARMEN — Dix ans...
LÉOPOLD — Si t'as pas le goût toé non plus, on ira pas,
    sacrament!
MANON — Dix ans...

37

MARIE-LOUISE — Veux-tu d'autre café, Léopold?
(Silence.) Veux-tu d'autre café, Léopold? *(Silence.)*
Veux-tu d'autre café, Léopold?

CARMEN — Dix ans!

LÉOPOLD — Non, mais fais-moé donc deux autres
toasts!

MANON — Dix ans...

LÉOPOLD — Fais-moé donc deux autres toasts...

MARIE-LOUISE — Tu devrais faire attention. Mange
pas trop de pain... Le docteur...

CARMEN — Y'en a passé de l'eau sous les ponts...

LÉOPOLD — Laisse faire le docteur, cibolaque, pis
fais-moé deux autres toasts...

MANON — Non.

LÉOPOLD — Pis laisse-les pas brûler!

MANON — Tout est resté pareil...

LÉOPOLD — J'les veux juste dorées!

CARMEN — Pour toé, peut-être...

LÉOPOLD — Juste dorées...

CARMEN — Pour moé, tout a changé...

LÉOPOLD — Ah! pis laisse donc faire... j'vas m'les
faire tu-seul...

MARIE-LOUISE — Chus capable de te faire des toasts,
chus pas infirme!

CARMEN — Tout a changé...

MARIE-LOUISE — Chus pas infirme!

MANON — Si tu penses que t'as rien qu'à sortir d'la
maison pour que toute change!

CARMEN — J'le pense pas, Manon, je l'ai faite...

LÉOPOLD — J'pense que j'vas en prendre, du café...

MANON — Tu vois c'que t'es d'venue, aussi!

LÉOPOLD — Si y'est pas trop frette!

38

MANON — Tu vois c'que t'es devenue, aussi! On dirait que tu sors d'un cirque ambulant!

LÉOPOLD — Y'était déjà pas trop chaud t'à l'heure...

MANON — Moé, j'srais gênée d'me promener de même sur la rue!

MARIE-LOUISE — Pourquoi t'es pas resté couché?

MANON — Veux-tu ben me dire...

MARIE-LOUISE — C'est samedi...

MANON — ... où c'est que t'as pêché ça, c'te déguisement-là?

CARMEN — Quand tu décides de changer, Manon, y faut que tu changes toute! Toute!

LÉOPOLD — Tu m'as réveillé quand tu t'es levée, à matin...

CARMEN — En dix ans, chus devenue une autre femme...

MARIE-LOUISE — Ah... J'pensais pas... J'ai pourtant faite attention...

MANON — Dix ans...

LÉOPOLD — Tu m'as réveillé quand t'as sorti du lit en courant, Marie-Louise!

MANON — Aïe...

LÉOPOLD — J'ai toute entendu ton concert, dans les toilettes!

MANON — C'est pas croyable...

LÉOPOLD — Aie pas peur que t'as pas fermé la porte pour que tout le monde t'entende comme faut, hein? Tu vas pouvoir faire ta martyre pour le restant de la fin de semaine, j'suppose!

MARIE-LOUISE — J'ai pas eu le temps de fermer la porte des toilettes, c'est toute! J'ai été obligée de courir! J'ai pas eu le temps de la fermer!

39

LÉOPOLD — Ben voyons donc, tu devais le sentir que t'étais pour être malade ! C'était de te lever avant !

MANON — On dirait que c'est comme un grand ruban gris en arrière de moé... Toute pareil...

CARMEN — C'est parce que tu l'as voulu... Si t'avais essayé de t'en sortir, un peu...

LÉOPOLD — On va en entendre parler toute la fin de semaine...

CARMEN — Mais non... tu passes ta vie à penser à c'te maudit samedi-là...

LÉOPOLD — Ça va être la première chose que tu vas dire à ta mère, demain...

CARMEN — Tu restes assis icitte, dans'cuisine, comme une prisonnière, pis tu penses à eux autres !

LÉOPOLD — Les yeux dans'graisse de binne, pour faire plus pitié...

CARMEN — Ça fait dix ans que tu fais rien d'autre que penser à eux autres !

LÉOPOLD — La spécialiste des yeux dans'graisse de binne !

CARMEN — Grouille-toé un peu ! Brasse-toé ! Sors !

MANON — Le monde est pas plus beau, dehors, Carmen...

CARMEN — Ben, marci !

LÉOPOLD — Pis là, ta mère va me faire un de ses câlice de sermons !

MANON — J'ai pas envie de me déguiser en fille de cirque pour me faire accroire que la vie est belle, Carmen ! Pas après c'qui est arrivé !

LÉOPOLD — J't'avertis, si ta mère me fait un autre de ses câlice de sermons, j'l'étouffe !

40

CARMEN — Mais ça fait dix ans que c'est arrivé, bonyeu! Oublie-lé!

MANON — Quand même que ça ferait cinquante ans, que c'est que ça changerait, hein? Que c'est que ça changerait!

MARIE-LOUISE — J'ai le droit d'être malade, non?

MANON — On dirait que t'as jamais réfléchi deux secondes à c'qu'y a faite, lui! As-tu déjà pensé que...

CARMEN — Que quoi?

MANON — Ah! rien... rien.

MARIE-LOUISE — J'ai le droit d'être malade, moé aussi. Quand même que j'aurais faite un peu de bruit, c'était de te rendormir, si tu t'en sacres que je soye malade!

LÉOPOLD — J'ai pas dit que j'm'en sacrais...

MARIE-LOUISE — Quand t'es malade, toé, t'es ben pire, tu te lèves pas pantoute! Tu restes tout écartillé, tu cries comme un pardu, pis tu renvoyes partout dans ton lit comme un cochon! Ma mère a raison de te faire des sermons! T'es comme un enfant!

CARMEN — Tu te penses encore plus intelligente que moé, hein?

MANON — Ben non!

CARMEN — Pourquoi tu me réponds pas, d'abord? Tu sais que ça m'énerve, quand tu commences à dire des affaires pis que t'es finis pas!

LÉOPOLD — Moé, quand ça me prend, ça me prend tout d'un coup... J'ai pas le temps de rien faire...

MARIE-LOUISE — Maudit menteur!

MANON — J'voulais rien dire que tu sais pas...

MARIE-LOUISE — T'aimes ça, te faire plaindre! Pis tu restes dans ton jus jusqu'à tant que j'te nettoye.

41

J't'ai pas marié pour ramasser ton renvoyage de bière, Léopold !

LÉOPOLD — Tu m'as pas marié pour grand-chose d'autre, non plus !

MANON — J'voulais juste parler de c'que popa a faite...

MARIE-LOUISE — Ça veut dire quoi, ça ?

CARMEN — Mais c'est pas sûr qu'il l'a faite, Manon !

LÉOPOLD — Ah, rien... rien.

CARMEN — Y'a jamais eu de preuves...

MANON — T'as besoin de preuves, toé ?

MARIE-LOUISE — Tu sais que ça m'énerve quand tu commences à dire des affaires pis que t'es finis pas !

LÉOPOLD — Tout c'que j'avais à te dire était dans c'que j't'ai dit, Marie-Louise ! Tu m'as pas marié pour grand-chose d'autre non plus ! C'est clair, pis c'est toute !

CARMEN — Y faudrait que t'arrêtes de penser à ça, Manon. Tu vois des affaires qui sont pas arrivées !

MANON — Qui sont pas arrivées !

CARMEN — Pas comme tu le penses en tout cas...

MANON — Tu penses pas qu'y sont arrivées de même, toé, hein ?

CARMEN — Non.

MANON — Maudite menteuse ! Toé aussi, tu le sais, comme tout le monde ! Mais vous vous forcez toutes pour pas le voir, c'qu'y'a faite !

CARMEN — Toé, tu t'es toujours forcée pour voir des affaires qu'y faisait pas...

MANON — Arrêter d'y penser ! Comment tu veux que j'arrête d'y penser ! On l'a entendu de nos propres oreilles ! Chus pas capable d'arrêter d'y penser,

Carmen! Même quand chus t'a l'ouvrage, j'ai toujours ça dans la tête! Pis quand j'reviens icitte...

CARMEN — Ça fait combien de fois que j'te dis de déménager, aussi! Mais au fond tu veux pas déménager, hein? Tu veux pas oublier, hein, c'est ça?

LÉOPOLD — Marie-Louise, tes toasts brûlent!

MANON — Mais mets-toé donc dans'tête que ça changerait rien si je déménagerais!

LÉOPOLD — Marie-Louise, tes toasts brûlent!

MANON — J'les entendrais pareil, Carmen! Chus pas capable de me débarrasser de leurs voix!

LÉOPOLD — Marie-Louise, tes toasts brûlent! Fais-tu exiprès!

CARMEN — C'est vrai que tu retiens de lui...

MANON — Carmen!

MARIE-LOUISE — Veux-tu parler moins fort! On va nous entendre jusqu'au septième voisin!

CARMEN — 'xcuse-moé... C'est pas ça que je voulais dire... T'as une façon d'être dans la lune comme lui...

MARIE-LOUISE — Pis tu vas réveiller les enfants, encore!

(*Changement subit dans l'éclairage.*)

MARIE-LOUISE — Pis tu vas réveiller les enfants, encore!

MANON — Carmen, as-tu entendu! Y se battent encore.

CARMEN — Ben non, ben non, y se battent pas... Y font juste se chicaner...

MANON — Ça commence toujours comme ça, pis ça finit par des batailles!

CARMEN — Ben non, ben non, y se battront pas...

43

MANON — Va voir...

CARMEN — Quoi ?

MANON — Va voir c'qu'y font...

CARMEN — Voyons donc...

MANON — Va voir, y t'entendront pas... J'veux savoir c'qu'y disent !

LÉOPOLD — Les enfants...

CARMEN — T'as pas besoin de savoir c'qu'y...

MANON — J'veux savoir c'qu'y disent ! J'veux pas qu'y l'insulte, encore !

LÉOPOLD — Y dorment pas, les enfants...

MANON — Laisse faire, j'vas y aller, moé !

LÉOPOLD — Aussitôt que j'ai mis le pied en dehors du lit, y dorment pus, les enfants !

CARMEN — Fais attention, si tu te fais pogner...

LÉOPOLD — Même si on parlerait tout bas, y s'arrangeraient pour entendre c'qu'on dit ! Y'entendent toujours toute ! Y savent toujours toute ! Sont toujours cachés en quequ'part en arrière des portes pour nous écouter ! J'te gage trente sous que Carmen est en arrière d'la porte d'la cuisine...

CARMEN — Manon, veux-tu r'venir icitte, tu vas te faire pogner !

MARIE-LOUISE — J'te dis qu'y faut que tu soyes sûr de ton coup pour gager trente sous !

LÉOPOLD — Tu peux aller te recoucher, Carmen, c'est pas encore à matin que j'vas tuer ta mère ! La couverture du *Allô Police,* c'est pas encore pour la semaine prochaine ! Pis prends pas la peine de marcher sur le bout des pieds, le plancher craque pareil !

MANON — Y savait que j'étais là...

44

CARMEN — J'te l'avais ben dit...

MANON — Pis y pensait que c'était toé...

CARMEN — C'est ça! Qui c'est qui va manger toutes les bêtises, encore!

MANON — Roger était pas réveillé, par exemple... Une chance...

CARMEN — Viens te coucher, là ... Ça nous regarde pas...

LÉOPOLD, *pendant que l'éclairage redevient normal* — C'est pas des enfants, qu'on a, c'est des espions! Toujours le nez fourré ousqu'y'ont pas d'affaire! Mais m'as te les knocker ben raide un de ces beaux jours...

MARIE-LOUISE — Un de ces beaux jours, oui... Toujours plus tard, hein, mon beau Léopold? Jamais tu-suite, les affaires, ah non, toujours plus tard... t'à l'heure... ou ben demain... ou ben donc la semaine prochaine... Autant dire jamais!

CARMEN — Moé, chus sûre que si t'avais suivi mes conseils...

MANON — Si j'avais suivi tes conseils, j's'rais rendue comme toé, aujourd'hui! Marci ben!

CARMEN — Laisse-moé donc parler, s'tie!

MANON — Pis tu sacres par-dessus le marché!

CARMEN — Tu me laisses jamais dire deux mots sans m'arrêter! J't'ai jamais demandé de faire comme moé, t'sais!

LÉOPOLD — Laisse faire, Marie-Louise, fais-en pas d'autres toasts, j'vas les gratter!

CARMEN — C'est toé qui t'es mis ça dans'tête que je voulais que tu me copies! J'veux pas que tu me

45

suives! J'veux juste que tu sortes d'icitte... que tu sortes de tes rêves, un peu...

MANON — C'est pas des rêves! Tu le sais que c'est pas des rêves! C'est c'que tu fais toé qui est un rêve, Carmen! C'est toé qui vis dans le rêve!

LÉOPOLD — Y reste-tu du beurre de peanuts?

CARMEN — Si c'est toé qui vis dans la réalité...

MARIE-LOUISE — Oui.

CARMEN — J'aime mieux le rêve...

MARIE-LOUISE — Euh.. c'est-à-dire que j'en ai acheté un pot neuf... L'autre était vide...

MANON — C'est ça... Reste ousque t'es... J't'ai pas demandé de te réveiller...

LÉOPOLD — Ben... sors-lé...

MARIE-LOUISE — Y restait pus de smoothy, Léopold, ça fait que...

LÉOPOLD, *donne un coup de poing sur la table* — T'as encore acheté du crunchy!

MARIE-LOUISE — Ben, y'en avait pus de smoothy, viarge!

CARMEN — Maudit que t'es bête!

MARIE-LOUISE — Tu vas pas me faire une scène pour six cennes!

MANON — C'est ça, chus bête! Vous l'avez toujours dit!

LÉOPOLD — Certain que j'vas te faire une scène! Quand c'est pas le beurre de peanuts qui est plus cher, c'est le steak haché qui coûte 69¢ la livre au lieu de 49¢; pis quand c'est pas le steak haché, c'est d'aut'chose! Pis tu t'arranges toujours pour me redemander de l'argent le mardi!

MARIE-LOUISE — Tu m'en donnes pas assez!

LÉOPOLD — Oui, j't'en donne assez! J't'en donne même trop! Tu le sais combien que je fais par semaine à suer comme un crisse en croix en arrière de ma crisse de machine pour vous faire vivre!

MARIE-LOUISE — Ben oui, j'le sais que tu fais un salaire de crève-faim, mais c'est pas une raison pour se priver de beurre de peanuts crunchy! Quand tu sues comme un crisse en croix en arrière de ta crisse de machine, dis-toé qu'au moins demain tu vas manger du beurre de peanuts crunchy au lieu du beurre de peanuts smoothy! C'est déjà mieux que rien, bâtard!

CARMEN — M'as te dire une chose qui te fera pas plaisir, Manon. C'est vrai que tu y ressembles! T'es pareille comme lui!

MARIE-LOUISE — À chaque fois que j'achète quequ'chose d'un peu plus cher, tu me fais une scène à tout casser, mais t'en manges en écœurant, par exemple, hein! Aussitôt que tes scènes sont finies, c'est toé qui manges le plus!

CARMEN — Tu réponds pas...

LÉOPOLD — C'est normal que le père de famille mange plus que le restant de la maison! C'est lui qui
✱ la fait vivre! Si j's'rais pas là, vous crèveriez comme des rats...

MARIE-LOUISE — Si tu s'rais pas là, on s'rait pas là nous autres non plus, pis on s'rait ben en écœurant!

CARMEN — Tu sais que c'est vrai, hein?

MARIE-LOUISE — Veux-tu d'autres toasts, hein? Veux-tu finir c'qu'y reste de pain? Comme ça tu pourras continuer à crier au meurtre quand j'vas envoyer Roger en chercher d'autre! Quand on s'est mariés, tu pouvais marcher trois milles pour sauver

47

deux cents sur une boîte de sardines! Astheur que t'es trop gros, que t'es trop plogue, tu te contentes de crier! Ben, laisse-moé te dire que j'aimais mieux quand t'allais marcher trois milles, Léopold! Ben oui, j'aurais pu aller au Steinberg pour acheter du smoothy, mais ça me tentait pas! Ben oui, j'aurais pu sauver six cents, pis après! C'est loin le Steinberg, l'hiver, pis j'ai pas toujours envie de me geler les pieds pour gagner six cents!

CARMEN — C'est pour ça que tu l'haïssais tant, hein? Parce que t'étais pareille!

LÉOPOLD — Bon, ben là, c'est toé qui es pompée! Veux-tu que j'ouvre le châssis pour que les voisins entendent pis qu'y aillent colporter à tout le monde que j't'empêche de manger...

MARIE-LOUISE — Aie pas peur, tu l'ouvriras pas le châssis, ça refroidirait la maison, pis y faudrait chauffer plus fort! Tiens, ça me fait penser... Y reste presque pus d'huile à chauffage... Vas-tu nous laisser périr de frette comme l'année passée?

MANON — Une fois... Ah! on était ben p'tites dans ce temps-là, nous autres... Moé, j'avais peut-être six-sept ans...

MARIE-LOUISE — Fais pas semblant que tu m'entends pas, Léopold, y reste pus d'huile!

LÉOPOLD — Fais-en venir de l'huile, cibolaque, fais-en venir! Achète la Texaco!

MARIE-LOUISE — Comme si on chauffait avec de la Texaco! Ignorant!

LÉOPOLD — Comme ça, on pourra se ploguer directement sur la compagnie!

MANON — On avait été invités chez la sœur de moman... ma tante Marguerite... C'était dans le temps des fêtes, j'pense... Tout le monde était là... Toute la famille... On devait ben être cinquante dans'maison! Nous autres, on n'avait pas de machine dans ce temps-là, on était allés en p'tits chars... Toé, tu tenais popa par la main, pis moé j'me tenais à côté de moman... J'essayais de marcher comme elle... de sourire comme elle... J'essayais d'y donner la main, aussi, mais a me lâchait tout le temps... On aurait dit qu'a l'oubliait qu'a me tenait la main, pis a me lâchait, tout d'un coup... Quand on est arrivés chez ma tante Marguerite, tout le monde s'est garroché sur nous autres... Tu sais comment c'qu'y sont licheux sus son côté à elle... Des becs par-citte, des becs par-là... Pis tout d'un coup, grand-popa est arrivé pis y nous a pris toutes les deux dans ses bras, en riant. J'étais tout excitée parce qu'y'était ben grand pis que j'me sentais ben haute... Toé, y t'a regardée, pis y t'a dit: «Damnée p'tite bougraisse que tu ressembles donc à ta mère, toé!» Tout le monde riait... Quand y m'a regardée, moé, j'ai arrêté de rire, parce que j'savais c'qu'y'était pour me dire. J'me sus mis à me débattre parce qu'j'voulais pas qu'y le dise! J'voulais pas qu'y le dise! «Pis toé, Manon, le vrai portrait de ton père!» J'aurais pu y arracher la face! Y'en ont parlé pendant des années, après: j'me sus mis à y taper dans'face pis à crier comme une démone... Quand y'ont réussi à me calmer, y se sont mis à dire que j'étais mal élevée, que j'étais pas tenable... bête comme mes pieds... Pareille comme mon père! Manon-le-poison, qu'y disait, grand-popa... Quand

49

on est r'venus à maison, j'ai attrapé la volée de ma vie... Y'était paqueté aux as, lui, pis y criait : « Comme ça tu veux pas me ressembler, hein, tu veux pas me ressembler ! » Y'avait compris, lui...

MARIE-LOUISE — Tiens, le pot de beurre de peanuts est déjà à moitié vide... Avec deux toasts....

LÉOPOLD — C'est moé qui l'a payé !

MANON — Pis y'avait *rien que* lui qui avait compris !

CARMEN — Tu penses ?

MARIE-LOUISE — Ça fait... cinq pots de beurre de peanuts pour un pain... Comme y diraient à la TV, t'as pas le sens de l'économie, mon p'tit gars !

CARMEN — Veux-tu ben me dire que c'est que ça pouvait ben faire que tu y ressembles, à lui, plutôt qu'à elle...

MANON — C'était un écœurant de fou, lui, pis j'voulais pas y ressembler !

CARMEN — Y'était pas plus écœurant qu'un autre, Manon... y'était peut-être juste un peu plus écœuré...

MARIE-LOUISE — Ôte tes coudes que j'tire la nappe... J'vas aller laver la vaisselle... À moins que tu veules finir le pot de beurre de peanuts à cuiller, comme tu le fais, la nuit, des fois !

LÉOPOLD — Quoi ? Que c'est que tu dis là ?

MARIE-LOUISE, *chuchotant* — Penses-tu que j'le sais pas que t'as donné une volée au p'tit pour rien, l'aut' jour ?

(*L'éclairage change.*)

Penses-tu que j'le sais pas que c'est toé qui l'as fini, le verrat de pot de confiture aux fraises ?

MANON — Carmen, y'ont arrêté de parler fort...

MARIE-LOUISE, *chuchotant* — Tu fais assez de train, pis tu pètes, pis tu craches assez fort, quand tu te lèves, la nuit, que les voisins d'en bas doivent penser qu'y'a un orage qui se prépare !

MANON — Ça m'inquiète, Carmen !

CARMEN — Ça t'inquiète quand y parlent fort, ça t'inquiète quand y parlent pas fort... Arrête de t'énarver de même !

MARIE-LOUISE — Pis tu penses que nous autres, on dort comme des anges pis qu'on s'aperçoit de rien ! C'est pas un péché d'avoir faim, la nuit, Léopold, surtout quand on est gros comme toé... mais pourquoi tu veux pas l'admettre !

LÉOPOLD — J't'ai dit l'aut'jour que j'voulais pus en *se sent* entendre parler, de c't'histoire-là ! As-tu compris ! *coupable* Veux-tu l'avoir dans'face, le pot de beurre de peanuts crunchy ?

CARMEN — Tiens, tranquillise-toé, y s'est remis à crier...

MANON — L'écœurant...

MARIE-LOUISE, *chuchotant* — Battre un tit-gars pour rien quand on sait que c'est nous autres qui a faite la faute !

LÉOPOLD — Aïe, sacrament, j'ai dit l'aut'jour que c'est Roger qui a mangé le reste du pot de confiture *justification* aux fraises, pis c'est lui, O.K. !

MARIE-LOUISE, *voix normale* — Touche-moé pas, tu me fais mal ! Comment ça se fait que tu sais que c'était lui, d'abord, hein ? Pourquoi que ç'aurait pas été Manon, ou ben Carmen, hein ? Pourquoi que ç'aurait pas été moé, hein ? Pourquoi ? Ben c'est parce que Roger c'est le dernier, le plus p'tit, qu'y'est

51

pas capable de se défendre, qu'y'a peur de toé comme
du bonhomme sept heures pis que c'est plus facile de
varger dessus! Maudit sans-cœur! Maudit peureux!
Tu cries, tu hurles, tu fais des grands gestes, mais
tu commences à avoir peur de tes deux filles parce
que c'est pus des enfants, hein? Y'a rien qu'un p'tit
dans'maison, ça fait que tu te garroches dessus à
pieds joints! Ben, j'ai une p'tite nouvelle pour toé,
Léopold! J'ai une p'tite nouvelle pour toé! Dans pas
longtemps, tu vas en avoir un autre, à déviarger!

MANON — Carmen, as-tu entendu!

MARIE-LOUISE — Ben oui, c'est ça, c'est en plein ça!
Es-tu content, mon loup, mon chéri, mon beau trésor,
on va en avoir un autre! Un autre beau cadeau du
ciel! Envoye, grimpe après les murs, pends-toé après
les lumières, donne-moé un beau bec sucré! Serre-
moé dans tes bras comme dans les vues pis dis-moé:
«Chérie, que je suis heureux!» Quand t'es t'arrivé
paqueté comme un écœurant y'a trois mois, après ton
fameux party à'shop, pis que tu t'es garroché sus moé
comme si j'arais été une putain d'la rue Saint-Laurent,
tu m'as faite un p'tit, Léopold! Tu m'as faite un autre
p'tit! J'te l'ai dit, j'te l'ai crié, de faire attention,
j'me sus débattue, mais tu comprenais rien, tu voyais
rouge, tu m'appelais «bebé» comme si j'arais jamais
été un «bebé» pour toé!

CARMEN — Manon, reste couchée! Mêle-toé pas de
ça!

MARIE-LOUISE — Comme les trois autres fois que
tu m'as violée dans ma vie, tu m'as faite un p'tit,
Léopold!

52

CARMEN — Reviens te coucher, Manon, y pourrait te tuer!

MARIE-LOUISE — Mais c'te fois-là, chus trop vieille pour avoir un p'tit! J'ai pus les nerfs, m'entends-tu? J'ai pus les nerfs pour avoir un autre p'tit!

(*Long silence.*)

(*L'éclairage redevient normal.*)

MARIE-LOUISE — Tu dis rien... tu dis rien... Tu me crois pas, j'suppose?

LÉOPOLD — Ben non, j'te crois pas! À ton âge! T'es trop vieille, Marie-Louise, t'en auras pus, de p'tits! Le danger est passé ça fait longtemps! C'est des accroires que tu te fais... C'est normal qu'une femme de ton âge soye un peu malade, le matin...

MANON — J'avais tellement honte que je rasais les murs quand j'marchais su'a rue!

MARIE-LOUISE — J'ai été voir le docteur, Léopold...

MANON — J'avais beau essayer de toutes mes forces d'y ressembler, à elle...

LÉOPOLD, *faussement enjoué* — Les femmes...

MANON — Y'avait toujours quelqu'un pour v'nir péter ma balloune!

LÉOPOLD — ... vous êtes toutes pareilles...

CARMEN — Tu vois, tu le dis toé-même que tu vivais dans une balloune... déjà quand t'étais p'tite...

LÉOPOLD — Aussitôt que vous avez un p'tit mal de cœur, vous v'nez tout énarvées pis vous vous imaginez que vous êtes enceintes...

CARMEN — Moé aussi j'm'en rappelle, Manon... Quand on jouait au père pis à la mère, toé tu voulais toujours faire la mère... Des fois, j'me tannais pis j'te forçais à faire le père... Là, tu piquais des crises, tu me

53

donnais des coups de pieds, tu criais que t'étais pour me tuer, un jour !

MANON — Carmen ! J'ai jamais dit ça !

CARMEN — Oui, tu le disais, Manon ! Tu vois que tu t'arranges pour en oublier des boutes, toé aussi ! Tu devais ressentir les mêmes affaires que lui quand y'était fâché, hein ? Pis même des fois, tu te regardais dans le miroir pis tu te disais : «M'as te tuer, mon écœurant... M'as te tuer !»

MARIE-LOUISE, *doucement* — C'est le docteur qui me l'a dit, Léopold...

CARMEN — Y'avait d'aut'chose, hein ?

MANON — Comment ça, d'aut'chose ?

CARMEN — C'était pas rien que parce que tu y ressemblais... T'avais d'aut'raisons de l'haïr...

MARIE-LOUISE — Pis si tu veux la preuve que j'ai été le voir, le docteur, j'vas te montrer le compte que j'viens de recevoir. Quand tu vas voir le chiffre, tu vas me croire, Léopold ! Un vrai chiffre de docteur... comme tu les aimes !

LÉOPOLD — Ça fait longtemps que tu le sais ?

MARIE-LOUISE — J'm'en doute depuis un bon bout de temps, mais ça fait juste deux semaines que chus sûre...

MANON — Quand j'étais p'tite, y'avait pas d'aut'chose... J'avais réalisé qu'y nous rendait toutes malheureuses pis je l'haïssais... Mais après... Après y'a eu d'aut'chose...

LÉOPOLD — Pour que c'est faire que tu me l'as pas dit avant !

MARIE-LOUISE — J'avais peur.

54

LÉOPOLD — Pour que c'est faire que tu me l'as pas dit avant !

MARIE-LOUISE — Imagine-toé donc que j'avais peur de toé... À cause de Roger... Rappelle-toé de c'que t'as voulu que je fasse quand j'ai été enceinte de Roger... C'te fois-citte, j'me sus arrangée pour te le dire trop tard... *pas de choix / influence*

LÉOPOLD — T'as dit que t'avais pas les nerfs pour élever un autre enfant, t'à l'heure...

MANON — Y'a eu UNE autre chose ... Pis quand j'y pense, Carmen...

MARIE-LOUISE, *signe de croix* — Y'est trop tard... Pis j'f'rais jamais ça... c'est contre la nature !

CARMEN — Quand tu penses à quoi, au juste ?

LÉOPOLD — On sait ben, t'aimes mieux nous voir nous noyer dans'marde un peu plus...

(*Marie-Louise arrête de tricoter.*)

(*Silence.*) *✱ écraser Léopold*

MARIE-LOUISE — Oui.

(*Silence.*)

CARMEN — Tu veux pas me le dire ?

MANON — J'te l'ai déjà conté, mais tu l'as oublié tu-suite, comme le reste...

LÉOPOLD — Ousqu'on va le mettre ? Ousqu'on va le mettre, hein ?

MARIE-LOUISE — On trouvera ben une place...

LÉOPOLD — Une place ! Où, ça ? Où, ça, une place ? *panique* Y'as-tu pensé ? Hein ? Où, ça ? Roger couche déjà dans le sofa du salon pis les deux filles braillent parce qu'y couchent dans' même chambre ! Où, ça, qu'on va le mettre ? Icitte, dans'cuisine ? Dans le poêle ? Dans le lavier ? Dans le frigidaire ? Dans les vidanges ?

55

MARIE-LOUISE — On va l'installer dans not'chambre, Léopold, c'est toute...

LÉOPOLD — Dans not'chambre, dans not'chambre... Viens-tu folle? On n'est pas des Esquimaux! Y'a pas de place, dans not'chambre! Où c'est que tu veux qu'on mette un barceau dans c'te boîte à punaises là! C'est grand comme ma yeule!

MARIE-LOUISE — Si ça s'rait grand comme ta yeule, Léopold, on pourrait ouvrir une école dans not'chambre! On va ôter la p'tite télévision portative, c'est toute!

LÉOPOLD — Ah! C'est donc ça! Tu prends tous les moyens pour la faire sortir, c'te télévision-là, hein? Ben, j'ai une p'tite nouvelle pour toé, Marie! J't'ai déjà dit que si la télévision portative sortirait d'la chambre, moé aussi j'sortirais. Tu t'en rappelles?

MARIE-LOUISE — Oui, j'm'en rappelle... C'te soir-là, j'avais sorti la télévision dans le salon...

LÉOPOLD — Ben, j'te le répète encore une fois: si la télévision sort de la chambre, moé aussi j'sors d'la chambre, O.K.?

MARIE-LOUISE — C'est ça, j'te l'ai déjà dit... Installe-toé dans le salon, tu vas être ben... Roger viendra coucher avec moé...

LÉOPOLD — As-tu déjà vu ça, une mère qui couche avec son tit-gars?

MARIE-LOUISE — As-tu déjà vu ça un homme qui aime plus sa télévision portative que sa femme? Oui, c'est vrai... t'as déjà vu ça... On a toutes vu ça... Ça fait dix ans qu'on passe toutes en deuxième... tu-suite après lc hockey du samedi... toute la gang...

MANON — Pis peut-être que j'te l'ai jamais conté, aussi...

MARIE-LOUISE — Toute la gang...

MANON — Y'était arrivé plus paqueté que jamais... Y commençait à faire clair quand y'est rentré dans' maison, pis y s'est mis à réciter des poèmes à la lune... Y disait à la lune qu'y voulait pas qu'a s'en aille pis tu-sortes de niaiseries de même... Maman, a l'essayait de le calmer, mais lui y continuait à hurler dans la salle à manger comme un chien...

CARMEN — Ça arrivait souvent...

MANON — Attends, c'est pas toute... Y voulait pas pantoute aller se coucher, y voulait manger, ça fait que maman y'avait faite à déjeuner... Quand y'a eu fini, y'a dit qu'y s'endormait. Maman y'a dit qu'est-tait pour y préparer le sofa du salon... Y'a rien voulu savoir! Y voulait absolument coucher dans sa chambre... Y se sont crié des bêtises pendant un bout de temps pis maman a fini par plier, comme toujours... En passant devant not'chambre, a y'a dit : « J'te défends d'me toucher, par exemple... J't'avertis...» Moé, j'comprenais pas encore c'que ça voulait dire, mais ça m'a faite peur pareil... Lui, y y'a répondu c'qu'y y disait toujours : « T'es ma femme, y faut que tu m'obéisses! »

LÉOPOLD — J'ai jamais entendu dire qu'une femme aurait mis son mari à'porte à cause d'une télévision portative, moé, jamais...

MARIE-LOUISE — C'est des affaires qui se disent pas, Léopold. C'est des affaires que les femmes tiennent cachées parce qu'y'ont honte !

MANON — Y'ont fini par rentrer dans leur chambre...

Ça faisait pas deux minutes qu'y'était couchés quand maman s'est remis à y crier des bêtises... A le traitait de tous les noms possibles-imaginables, pis... j'ai entendu des coups...

LÉOPOLD — J'ai jamais entendu parler de ça de ma vie...

MANON — J'me sus levée tranquillement... J'pensais qu'y'était après la battre...

LÉOPOLD — Maudite menteuse! Vous êtes toutes des maudites menteuses! La télévision, a va rester là, Marie-Louise!

MANON — J'me sus glissée dans le passage, pis j'me sus collé l'oreille contre leur porte...

LÉOPOLD — Ton p'tit, tu le mettras ousque tu voudras! Tiens, tu iras t'installer avec, dans le salon, toé... Roger viendra coucher avec moé... Un p'tit gars qui couche avec son père, c'est plus normal... Ça fait pas un fifi!

MANON — La porte était mal fermée pis a s'est ouverte... J'voulais pas vraiment voir c'qu'y se passait, t'sais... J'savais qu'y fallait pas que je regarde dans'chambre... Mais... j'les ai vus, Carmen... J'les ai vus!

MARIE-LOUISE — J'suppose que t'as déjà entendu parler d'un homme qui a mis sa femme à'porte parce qu'y venait d'y faire un p'tit!

MANON — Maman, a se débattait, pis a criait, pis lui y y disait des affaires... J'entendais pas les mots... J'les voyais juste se débattre... J'ai pensé qu'y'était après la tuer, pis j'me sus mis à pleurer sur le pas de la porte...

LÉOPOLD — J'te mets pas à'porte... j't'envoye juste dans le salon...

MARIE-LOUISE — Moé aussi j't'envoye juste dans le salon! Pis à part de ça, y'est pas question qu'on couche pas dans la même chambre... à cause des enfants...

LÉOPOLD — 'coute donc, une minute... C'est-tu déjà arrivé qu'on a faite quequ'chose, depuis qu'on est mariés, qu'y' était pas pour les enfants!

MARIE-LOUISE — Tu m'as mis enceinte tu-suite, Léopold! A ben fallu qu'on y pense tu-suite!

MANON — Y se sont retournés tous les deux en même temps... Jamais j'oublierai leurs faces, Carmen! Y m'ont regardée pendant quequ'secondes, pis maman s'est retournée contre le mur en criant... Lui, y'a remonté les couvertes, pis y m'a dit: «Tu peux aller te coucher, le show est fini...»

LÉOPOLD — C'est ça, c'est toujours de ma faute...

MARIE-LOUISE — Ben oui, c'est toujours de ta faute!

LÉOPOLD — Toute la marde qui nous tombe sur la tête, c'est toujours de ma faute...

MARIE-LOUISE — Oui... toujours...

LÉOPOLD — ... jamais de la tienne...

MARIE-LOUISE — C'est toujours de ta maudite faute, toujours! J'ai beau tout essayer pour nous en sortir, on se retrouve toujours un peu plus bas...

LÉOPOLD — Si t'essayes toujours comme avec le pot de beurre de peanuts crunchy, ça peut ben pas marcher! On peut ben être dans'marde jusqu'au cou...

MARIE-LOUISE — J'ai mis le pied dans'marde quand j't'ai dit oui, mais avant de mourir dedans, m'as te dire non ben des fois, Léopold...

59

MANON — «Tu peux aller te coucher, le show est fini...»

CARMEN — C'est toute?

MANON — Si t'es avais vus, Carmen! Si t'es avais vus! Y'étaient assez laids!

CARMEN — C'est parce qu'y savaient pas comment faire ça...

MANON — Carmen!

CARMEN — Ben quoi, c'est vrai!

MANON — Tu comprendras jamais! J'sais pas pourquoi j't'ai tout conté ça...

CARMEN — Pour te faire plaindre, Manon, tu le sais ben! Penses-tu que t'es la seule enfant au monde qui a vu ses parents de même! Voyons donc!

LÉOPOLD — Aïe, un enfant de plus! Y penses-tu!

CARMEN — Tu te contes des peurs, pis t'aimes ça, hein? Arrête donc de vivre dans le passé! C'est comme rien, tu dois en réciter, toé aussi, des poèmes à la lune! Tu restes assis sus ta chaise pis tu te contes des histoires sus ton méchant popa qui t'a rendue malheureuse! R'viens-en un peu!

MANON — C'est pas vrai qui nous a rendues malheureuses?

CARMEN — Ben oui, c'est vrai, mais y faut que t'en reviennes un jour! Tu restes effouerrée icitte à remâcher tous ses gestes, toutes ses paroles... pis à essayer de faire pitié! Tu fais pas pitié pantoute, Manon!

LÉOPOLD — Toute recommencer: les nuits blanches, les couches, les bouteilles de lait, les suces... j'ai mon crisse de voyage!

CARMEN — Si t'arais deux cennes de bon sens, t'arrêterais de te lamenter pis tu te débarrasserais de tout ça...

MANON — Comme toé, j'suppose...

CARMEN — Pourquoi pas...

MANON — Chus pas une sans-cœur...

CARMEN — Y'est pas question d'être sans-cœur ou non... Faut que tu fasses ta vie, toé aussi...

MANON — Comment tu veux te faire une vie quand t'as des affaires de même dans'tête...

CARMEN — Ben, sors-toé-lé d'la tête, c'est toute! J'me tue à te le dire... Penses-tu que ça a de l'allure! À ton âge! T'as encore le portrait de not'mère sur la télévision... Pis j'gage que tu le regardes plus que la télévision... Mets-moé ça dans les vidanges... ou ben donc dans un tiroir ben loin... C'est correct, not'père y'avait des côtés écœurants, mais y'était pas si pire que ça! Arrête de le noircir de même! À t'entendre parler, c'était une sainte, elle!

MANON — C'était une sainte, aussi!

CARMEN — Manon, franchement! Là, t'es ridicule!

MANON — Pis si a t'entend parler, a doit pleurer...

CARMEN — ... dans le ciel, j'suppose? T'as toujours ben pas envie de me parler du ciel à matin, Manon! Ça s'est pas passé, ça non plus! T'es complètement folle! Notre mère, c'était pas une martyre, pis not'père c'tait pas le yable, bonyeu!

LÉOPOLD — On est trop vieux pour toute recommencer ça... Ben, ma maudite, tu vas en manger, du beurre de peanuts smoothy, à partir d'aujourd'hui! T'as besoin de ménager si tu veux y donner à manger, à c't'enfant-là!

61

MANON, *tout bas* — Ça m'a marquée pour la vie... J'le
sais que ça m'a marquée pour la vie... J'me sacre de
c'que tu peux dire... Pis c'est pas toé qui vas v'nir
changer ça... Tu les as pas vus, toé...

MARIE-LOUISE — Ton boss te doit une augmentation...
T'as rien qu'à y demander... avec une bouche de plus
à nourrir...

CARMEN — J'vois ben ça que c'est pas moé qui vas
changer grand'chose là-dedans !

LÉOPOLD — Chus pas dans une shop à union, moé !
Les augmentations me tombent pas dessus tous les six
mois comme la manne !

CARMEN, *en riant* — J'le sais c'qu'y te faudrait,
Manon... c'est un homme...

MARIE-LOUISE — Vous êtes trop sans-cœur pour faire
rentrer l'union dans vot'shop, pis c'est nous autres qui
payent !

CARMEN — C'est un homme qu'y te faudrait, Manon !
Ça te calmerait les nerfs, un peu ! Si tu y goûtais, un
peu, au lieu de juste te rappeler c'que t'as vu... As-tu
déjà essayé, au moins, Manon...

MANON — Farme-toé donc ! Tu sais pas de quoi tu
parles !

CARMEN — Comment ça, j'sais pas de quoi j'parle...

MANON — Tu comprends pas c'que j'veux dire...

CARMEN — Oui... j'comprends c'que tu veux dire...
Pis veux-tu savoir une chose... Ça m'écœure !

MARIE-LOUISE — Y te la doit depuis presqu'un an...
T'es trop chiant en culottes pour y demander... Y te la
doit, Léopold, c'est de l'argent qu'y te doit !

CARMEN — Ça m'écœure de voir une fille comme toé,
ma propre sœur, gâcher sa vie pour rien...

MARIE-LOUISE — Tu piques des crises quand j'te demande de l'argent, pis t'es trop niaiseux pour demander l'argent que ton boss te doit! Tu s'ras toujours un peureux...

CARMEN — Pour rien... C'est toute dans ta tête!

MARIE-LOUISE — Vous êtes toutes pareils! Vous nous chiez sur la tête parce qu'on est en dessous de vous autres, pis vous vous laissez chier sur la tête par ceux qui sont au dessus de vous autres! C'est pas sur nous autres que vous devriez vous venger, pourtant! Pourquoi t'essayerais pas de le débarquer, *lui*, au lieu de nous autres!

CARMEN — Pis après toute, t'es peut-être heureuse comme que t'es! Y'a du monde qui vivent de leurs malheurs, faut croire!

LÉOPOLD — Ça fait vingt-sept ans que j'travaille pour c't'écœurant-là... Pis j'ai rien que quarante-cinq ans... C'est quasiment drôle quand tu penses que t'as commencé à travailler pour un gars que t'haïs à l'âge de dix-huit ans pis que t'es t'encore là, à le sarvir... *il est le serviteur* Y'en reste encore trop des gars pognés comme moé... Aujourd'hui, les enfants s'instruisent, pis y *espoir* vont peut-être s'arranger pour pas connaître c'que j'ai connu... Hostie! Toute ta tabarnac de vie à faire la même tabarnac d'affaire en arrière de la même tabarnac de machine! Toute ta vie! T'es spécialisé, *libre sentence* mon p'tit gars! Remercie le bon Dieu! T'es pas journalier! T'as une job steadée! Le rêve de tous les *idéologie* hommes: la job steadée! Y'a-tu queuqu'chose de plus *masquer* écœurant dans'vie qu'une job steadée? Tu viens que *les contra* t'es tellement spécialisé dans ta job steadée, que tu *déshumanisé,* fais partie de ta tabarnac de machine! C'est elle qui *est devenu une machine*

63

te mène! C'est pus toé qui watches quand a va faire défaut, c'est elle qui watche quand tu vas y tourner le dos pour pouvoir te chier dans le dos, sacrament! Ta machine, tu la connais tellement, tu la connais tellement, là, que c'est comme si t'étais v'nu au monde avec! C'est comme si ç'avait été ta première bebelle, hostie! Quand j'me sus <u>attelé</u> à c'te ciboire de machine là, j'étais quasiment encore un enfant! Pis y me reste vingt ans à <u>faire</u>! Mais dans vingt ans, j's'rai même pus un homme... J'ai déjà l'air d'une loque... Dans vingt ans, mon p'tit gars, c'est pas toé, c'est ta machine qui va prendre sa retraite! Chus spécialisé! Chus spécialisé! Ben, le bon Dieu, j'le r'mercie pas pantoute, pis je l'ai dans le cul, le bon Dieu! Pis à part de ça, c'est même pas pour toé que tu travailles, non c'est pour ta famille! Tu prends tout l'argent que t'as gagné en suant pis en sacrant comme un <u>damné</u>, là, pis tu la donnes toute au grand complet à ta famille! Ta famille à toé! Une autre belle <u>invention</u> du bon Dieu! Quatre grandes yeules toutes grandes ouvertes, pis toutes prêtes à mordre quand t'arrives, le jeudi soir! Pis quand t'arrives pas tu-suite le jeudi soir parce que ça te tentait d'avoir un peu de fun avec les chums pis que t'as été boire à'taverne, ta chienne de famille, à mord pour vrai, O.K.! Cinq minutes pis y te reste pus une crisse de cenne noire dans tes poches, pis tu brailles comme un veau dans ton lit! Pis ta famille a dit que c'est parce que t'es saoul! Pis a va conter à tout le monde que t'es t'un sans-cœur! Ben oui, t'es t'un sans-cœur! Y faut pas te le cacher, t'es t'un sans-cœur!

réifié – devenir une chose

comme un animal

emprisonnement

désespoir total

enfer éternel

idéologie est une fiction

animaux

CARMEN — Si ç'arait pas été popa, tu te s'rais trouvé d'aut'chose pour te gâter l'existence. Mais popa, c'est plus commode, hein? Comme ça c'est plus facile d'haïr les hommes pis de les garder éloignés de toé! «Mon père, c'tait un écœurant, j'veux rien savoir de vous autres!» C'est facile, ça! Ça te donne bonne conscience! Une fois, quand on était p'tites pis qu'on se faisait encore des confidences, j't'ai demandé c'que tu f'rais quand tu s'rais grande... Te rappelles-tu de c'que tu m'as répondu? «Quand j'vas être grande, j'veux être ben ben malheureuse, pis mourir martyre!»

MARIE-LOUISE — J'ai encore mal au cœur...

LÉOPOLD — Commence pas ça!

CARMEN — Avoir su que c'était vrai, j't'aurais étranglée dret là!

MARIE-LOUISE — J'vas avoir un bebé, Léopold! J'en ai encore pour six mois à avoir mal au cœur!

LÉOPOLD — Ben, dis-moé-lé pas!

MARIE-LOUISE — C'est ça, encore une affaire que j'vas être obligée de me refouler dans la gorge! T'aimerais ça, passer dans'vie sans savoir c'qui se passe autour de toé, hein, Léopold?

MANON — Tu peux me dire tout c'que tu veux... Ça glisse sus' moé comme sus le dos d'un canard!

CARMEN — C'est ben ça, ton problème, ma pauvre p'tite fille! Y'a rien qui te touche! Rien que des affaires qui se sont passées y'a dix pis quinze ans... Aujourd'hui, ça compte rien que pour quand tu veux souffrir, hein? Tu souffres un bon coup, là, pis ensuite tu vas te réfugier aux pieds du Sacré-Cœur, j'suppose! C'est un homme, lui aussi, pourtant...

MANON — Tu commences à aller un peu loin, là...
J't'avertis...

CARMEN — C'est vrai qu'y'est pas ben ben dangereux,
lui!

MARIE-LOUISE — Y faudrait que le souper soye prête,
que les enfants soyent raides comme des barreaux de
chaises pis que j'me tienne à l'attention devant le
fourneau quand t'arrives, le soir! Après le souper, y te
faudrait ton salon à toé tu-seul, ta télévision à toé tu-
seul, ta bière pis tes chips à toé tu-seul! Pis après, un
grand lit avec personne dedans pour pas te déranger,
le matin, quand'est malade! Avec ça, tu passerais à
travers la vie comme le roi d'Angleterre!

CARMEN — La dernière fois que chus venue icitte, tu
m'as assez déprimée que j'me sus juré de plus jamais
r'venir! Ta chambre est-tu encore pleine d'images
saintes pis de statues, Manon?

MARIE-LOUISE — Mais non, que c'est que tu veux...
des fois, ça m'arrive de manquer le souper, pis ça
arrive aux enfants d'être tannants, pis ça m'arrive
aussi d'avoir pas assez d'argent pour acheter ton
écœurante de bière!

CARMEN — Sais-tu en quelle année qu'on est, là? Des
fois, j'parle de toé, au Rodéo, pis y me croyent pas!
Y pensent que j'parle de ma mère! Y veulent pas
me croire que ma sœur de vingt-cinq ans est pognée
dans'religion jusqu'au cou parce qu'a sait pas quoi
faire de son corps...

MARIE-LOUISE — Ça fait que là, t'es l'homme le plus
malheureux du monde: tout le monde t'en veut, tu
vois rouge, pis tu fesses dans le tas! N'importe qui,
n'importe comment, ça tc dérange pas une miette:

tu te venges! Pis quand t'as fini de te venger, tu te couches, tu t'endors, pis tu fais des beaux rêves en couleurs!

LÉOPOLD — Ah! pis farme-toé donc la yeule, tu sais pus c'que tu dis...

MARIE-LOUISE — Si tu savais comme j'aimerais ça, pus savoir c'que j'dis! Pus savoir c'que j'dis pantoute! Une folle!

CARMEN — Dix ans après sa mort, tu joues encore à ressembler à maman! C'est pas possible! Jusqu'aux cierges, pis à l'eau bénite!

MARIE-LOUISE — Y doivent-tu être heureux, les fous!

CARMEN — Mais tu te rends pas compte d'une chose, par exemple! Ça y ressemble, à lui, d'avoir des idées fixes, comme ça!

MANON — C'est pas vrai, ça!

CARMEN — Ça y ressemble, à lui, pis à sa famille de fous!

MARIE-LOUISE — Hein, Léopold, y doivent être heureux, les fous?

LÉOPOLD — Commence pas avec ma famille!

MARIE-LOUISE, *en riant* — J'ai même pas besoin de les nommer, tu sais tu-suite qui j'veux dire! J'aime assez ça, parler d'eux autres!

CARMEN — C'est héréditaire, la folie, Manon...

MANON — Si c'est héréditaire, c'est toé qui n'as hérité, pas moé...

CARMEN — Qui c'est qui est en train de virer complètement folle à force de vivre dans le passé, pis d'haïr un fantôme, c'est-tu toé ou ben si c'est moé?

MANON — Qui c'est qui est putain sur la rue Saint-Laurent?

CARMEN, *en riant* — Chus pas putain sur la rue Saint-Laurent! Chus pas putain pantoute! Tu parles en vraie femme d'Église, Manon! Tout ce qui dépasse le pas de ta porte, tu le comprends pas, t'essayes même pas de le comprendre, pis tu t'arranges pour l'interpréter de travers!

MARIE-LOUISE — L'eu-z'as-tu déjà demandé si y'étaient heureux, Léopold, hein? Leu'demandes-tu, des fois, comment y se sentent, en dedans?

LÉOPOLD — J't'ai dit d'la fermer, Marie-Louise!

CARMEN — Pis même si j's'rais putain sur la rue Saint-Laurent, ça s'rait moins fou que d'être vieille fille sur la rue Visitation!

MARIE-LOUISE — Penses-tu qu'y sentent quequ'chose, quand y font leurs folleries, Léopold? Hein? Hein? Ton père, quand y vient les yeux tout croches pis que la langue y sort d'la bouche de quasiment deux pieds, y'as-tu déjà demandé si y sentait quequ'chose, en dedans?

LÉOPOLD — Ta yeule, Marie-Louise!

MARIE-LOUISE — Y faudrait ben que tu le saches, Léopold, après toute, toé aussi tu peux finir tes jours de même! Après ton père, pis tes deux sœurs, pis tes tantes, ça s'rait pas surprenant!

(*Léopold donne un coup de bouteille de bière sur la table.*)

LÉOPOLD — Ta yeule!

(*Long silence.*)

LÉOPOLD — J'veux pus entendre parler de ces affaires-là!

MANON — Que c'est que tu voudrais que je fasse! Hein? Si t'es si fine, dis-moé-lé donc voir?

CARMEN — J'te l'ai déjà dit cent fois...

LÉOPOLD — J'voudrais être capable de pus y penser pantoute, aussi !

MANON — J'ai jamais eu d'amis parce que j'étais trop sauvageonne...

CARMEN — Sauvageonne ! J'appelle pus ça sauvageonne ! T'arrachais quasiment les yeux de tous ceux qui essayaient de s'approcher !

LÉOPOLD — J'veux pas d'venir comme eux autres...

CARMEN — T'aimais mieux rester icitte, cachée dans un coin, à espionner c'qui se passait dans'maison !

MARIE-LOUISE — Pourtant quand tu vois rouge pis que tu piques des crises, tu leur ressembles sur un temps rare !

LÉOPOLD — C'est pas vrai ! Quand j'vois rouge, c'est pas des crises... c'est juste parce que j'ai bu !

MARIE-LOUISE — C'est de même que ça commence...

CARMEN — T'aimais mieux rester avec moman, pour la regarder faire... Pour apprendre à souffrir comme faut... comme une vraie sainte !

MARIE-LOUISE — Tu le sais, pourtant, que tu devrais pas boire ! Pas une goutte !

CARMEN — T'as hérité de toutes ses maudites bebelles religieuses, pis tu fais comme elle : tu les entretiens, tu les laves, tu les époussettes... Pis comme t'es pas moman, pis que popa est pas là pour te faire souffrir comme tu voudrais, tu t'assis dans'cuisine pis tu repasses dans ta tête toutes les scènes que t'as vues ! C'est ça, hein ?

LÉOPOLD — J'vois rouge, quand j'bois, mais ça veut pas dire que chus comme eux autres...

MARIE-LOUISE — J'te le dis assez souvent...

LÉOPOLD — C'est juste parce que j'peux pas m'empêcher de me fâcher...

CARMEN — C'est pas de la folie, ça, tu penses? J'peux pas rentrer icitte sans te surprendre avec un chapelet dans les mains! Pis ça fait pas cinq minutes que chus là, que tu commences à me dire : « T'en rappelles-tu de ci, pis t'en rappelles-tu de ça... » Ben oui, j'm'en rappelle de tout ça, Manon, ben oui, ça m'a faite mal, à moé aussi! C'est ben sûr que c'est pas vrai que j'ai toute oublié! j'm'en rappelle comme toé! Chus v'nue au monde dans'marde, pareille comme toé, Manon, mais au moins j'essaye de m'en sortir! Au moins, j'essaye de m'en sortir!

MANON — En chantant des chansons de cow-boy au Rodéo!

CARMEN — Oui, en chantant des chansons de cowboy au Rodéo! Pour moé, être libre, c'est de chanter des chansons de cow-boy au Rodéo, pis après! C'est toujours ben mieux que de rester gommée dans son passé, un chapelet à la main pis les yeux dans le beurre!

MARIE-LOUISE — Tu fais pas juste te fâcher, Léopold... Tu fais des vraies crises, essaye pas de te le cacher...

LÉOPOLD — J'vois rouge, pis...

MARIE-LOUISE — Des vraies crises de fou!

LÉOPOLD — Pis... c'est vrai que j'm'en rappelle pus, après... C'est vrai que j'm'en rappelle pus...

CARMEN — J'ai coupé tous les ponts avec mon passé, Manon... excepté un...

MARIE-LOUISE — C'est des crises comme ton père en faisait, juste avant de virer complètement crackpot!

Pis tu t'en rappelles comment y'est v'nu fou, hein? Tu t'en rappelles? Que c'est que le docteur y'avait dit, hein? La même chose qu'à toé: pas de boisson! Pas une seule goutte! Pis que c'est qu'y faisait, ton père, hein? La même chose que toé: y buvait comme un trou! J'sais déjà le numéro de téléphone par cœur, Léopold, pis quand j'vas te voir sortir la langue, pis crochir les yeux, ça s'ra pas long, c'est moé qui te le dis! Ah non, ça s'ra pas long! Pis j'vas-tu être débarrassée, rien qu'un peu... La tranquillité! La paix! La sainte paix! La sainte viarge de paix! Enfin!

MANON — Coupe-lé donc, ton dernier pont, pis laisse-moé donc tranquille, Carmen...

LÉOPOLD — J'ai peur de finir de même. *(Il boit.)* Y'a pas de jour que j'y pense pas... C'est de famille... Aïe... toute une famille de fous... Toute une grande famille au grand complet... Y devraient empêcher c'te monde-là de faire des enfants... Y'auraient peut-être dû m'empêcher d'avoir des enfants, moé aussi... *(Il boit.)* C'est vrai que j'devrais pas boire... Mais que c'est qui me resterait, câlice, que c'est qui me resterait dans le monde? Chus toujours ben pas pour me mettre à aller à taverne rien que pour boire du Seven-up! Que c'est que les autres diraient! Mes chums... mes chums... mes chums...

MANON — Chus peut-être heureuse, moé aussi...

MARIE-LOUISE — J'm'assirais tu-seule dans mon coin, dans le salon, devant la télévision, j'prendrais le p'tit avec moé... pis j'tricoterais... sans arrêter... jusqu'à la fin de mes jours... J'tricoterais... La sainte viarge de paix! J's'rais-tu ben!

71

MANON — Maman, a disait...

LÉOPOLD — J'en ai pas, de chums... J'm'assis toujours tu-seul dans mon coin... à une table vide...

MANON — Maman, a disait : « Si un jour ton père part, j'vas rester tu-seule, icitte, tranquille... Pis j'vas être heureuse...

LÉOPOLD — Pis y'en a jamais un sacrament qui se lève pour v'nir s'asseoir avec moé... Jamais ! Pis moé, j'le fais pus depuis longtemps... Ça fait ben longtemps que j'ai pus essayé de me faire chum avec quelqu'un...

MARIE-LOUISE — J's'rais-tu ben...

LÉOPOLD — J'ai rien à dire au monde, moé... rien.

MARIE-LOUISE — J's'rais-tu ben, dans mon coin, avec mon tricot...

LÉOPOLD — J'm'installe devant la table vide... J'demande au waiter d'la remplir, pis... j'la vide ! Quand j'ai vidé la table comme faut... Quand j'ai vidé la table comme faut, y'a une espèce de brume épaisse qui entoure ma table, pis j'vois pus les autres... Chus tu-seul, dans'taverne ! Pis chus ben ! J'entends pus rien... J'vois pus rien... Chus tu-seul dans'brume... La paix ! J'me ferme les yeux... Toute tourne... C'est le fun... J'crie : « Waiter ! », pis quand j'rouvre les yeux... la table est pleine ! J'ai juste un mot à dire, juste un mot, pis la table se remplit ! Mais j'la vide pas ! Jamais la deuxième fois ! Jamais ! J'y touche même pas... J'la regarde ! Est là, devant moé, est pleine de bières pleines, pis est à moé ! À moé tu-seul ! C'est ma table, pis ma bière, pis si j'veux, j'y touche pas, pis si j'veux... C'est ça, être riche !

MARIE-LOUISE — Le monde viendraient me voir, pis j'leu'dirais : « Mon mari ? Y'est à l'asile... Mon mari ? C't'un fou. Y l'ont enfermé, y'était pus endurable... T'nez, c'est ben simple, j'm'en rappelle... une fois... » Pis j'leu'conterais toutes sortes d'affaires... En tricotant... Toutes sortes d'affaires vraies, pis des pas vraies, aussi... Pis... y'auraient pitié de moé. J'pourrais continuer de tricoter en paix, pis j'saurais qu'au moins le monde ont pitié de moé... Léopold... Léopold...

LÉOPOLD — Quoi...

MARIE-LOUISE — J'ai hâte que tu soyes fou pour vrai...

CARMEN — A l'a toujours voulu qu'y meure... Pauvre moman !

MANON — Non, a voulait pas qu'y meure... J'le sais, moé, c'qu'a voulait...

MARIE-LOUISE, *en riant* — Tu t'es pas vu la face ! Tu t'es pas vu la face ! Tu le sais que c'est vrai, hein ?

LÉOPOLD, *souriant* — Oui, j'le sais.

MARIE-LOUISE — Fais pas le fin-fin, là, essaye pas de sourire, j'sais que t'es t'en crisse ! Tu te r'tiens, hein ? J't'agace, pis tu te r'tiens...

MANON — J'le sais c'qu'a voulait...

LÉOPOLD — Pis si j'veux, j'peux donner un coup de pied sur la table, pis toute renverser la bière ! Parce que c't'à moé, que je l'ai payée, pis que j'peux en faire c'que j'veux ! Pis la plupart du temps, c'est ça que je fais... J'lève la jambe, j'pose mon pied sur le bord de la table, pis...

(*L'éclairage change brusquement.*)

(*Marie-Louise pousse un cri.*)

73

MARIE-LOUISE —Sacrament de fou! Que c'est que tu fais là! T'as crissé la table à terre!

MANON — Carmen, as-tu entendu, faut y aller!

CARMEN — Reste icitte, toé!

MARIE-LOUISE — Carmen! Manon! V'nez m'aider!

MANON — Faut y aller!

MARIE-LOUISE — Vite, v'nez m'aider...

MANON — A nous appelle!

MARIE-LOUISE — Vot'père pique encore une crise!

CARMEN — Tu veux les voir, hein?

MARIE-LOUISE — V'nez m'aider, y va me tuer, l'écœurant!

CARMEN — Tu veux les voir se battre!

MARIE-LOUISE — Y va me tuer!

CARMEN — Ben, on va y aller, les voir!

LÉOPOLD, *lentement* — Mais là, la brume s'en va...

MARIE-LOUISE — Ayez pas peur...

LÉOPOLD — ... y'a des mains qui m'accrochent...

MARIE-LOUISE — Y nous voit pas...

MANON, *très lentement* — Y t'a-tu faite mal, maman?

MARIE-LOUISE — Non, y m'a pas touchée...

CARMEN, *très lentement* — Pourquoi tu criais qu'y voulait te tuer, d'abord...

LÉOPOLD — Pis y me sacrent dehors...

MARIE-LOUISE — Carmen, reste pas deboute dans'porte comme ça, viens nous aider!

LÉOPOLD — J'me r'trouve sur le trottoir, la yeule en sang...

MARIE-LOUISE — Manon, ramasse la nappe pis la vaisselle...

LÉOPOLD — J'ai la yeule en sang...

MARIE-LOUISE — Envoye, Carmen... on va relever la table, nous autres...

LÉOPOLD — Pis... j'vois toute en rouge! J'vois toute en rouge! J'prendrais le monde entier dans mes mains, pis je l'écrascrais!

(*Très long silence.*)

MARIE-LOUISE — Allez-vous-en, astheur... Envoyez, envoyez, Allez-vous-en... Y va rester tranquille... J'pense qu'y s'en est pas aperçu... J'vas y mettre une débarbouillette d'eau frette sur le front...

CARMEN — A l'a dit qu'y voulait la tuer... pis y'était assis sur sa chaise... y grouillait pas... Maudite menteuse!

MANON — Y'est fou, Carmen! Y'est fou pour vrai!

CARMEN — Vous devez être contentes, toutes les deux...

(*L'éclairage redevient normal.*)

MARIE-LOUISE — Tiens... mets ça sur ton front... Te sens-tu mieux... M'entends-tu, là?

LÉOPOLD — Ben oui, ben oui, j't'entends...

MARIE-LOUISE — Tu sais c'que t'as faite?

LÉOPOLD, *en riant* — J'ai renversé le pot de beurre de peanuts!

MANON — Quand j'me réveille, le matin, j'ai toujours l'impression que j'vas les entendre crier... Pendant les trente premières secondes, j'me r'trouve tout le temps en arrière, p'tite fille, dans notre ancienne chambre... Chus sûre que maman va crier quequ'chose... Pis quand j'rouvre les yeux...

CARMEN — T'es désappointée...

MARIE-LOUISE — C'est la première fois que ça t'arrive comme ça, à jeun, le matin... Si tu te mets à tout casser dans'maison même quand t'as pas bu...

LÉOPOLD — T'aimerais ça que je casse toute dans' maison, une fois pour toutes, hein?

CARMEN — Ça fait que tu prends le chapelet de moman, tu te mets à genoux à côté du lit de moman, pis tu récites les prières de moman...

MANON — Je r'garde même pas sur son bord, à lui, j'ai trop peur qu'y soye là pour vrai...

LÉOPOLD — T'aimerais ça être obligée de me placer, hein?

CARMEN — T'aimerais trop ça qu'y soye là pour vrai...

LÉOPOLD — Ben, tu vas attendre longtemps, ma sacramente! Prépare-toé pas une belle p'tite vieillesse tu-seule trop vite, Marie-Louise... ma chérie... ma belle p'tite Marie-Lou...

CARMEN —T'aimerais trop ça qu'y t'arrache ton chapelet en se moquant de toé comme y faisait avec elle...

LÉOPOLD — Aïe! Aïe! t'en rappelles-tu? T'en rappelles-tu, Marie-Louise, quand j't'appelais «Marie-Lou»?

MANON — Maman, est-tait tellement croyante... a pouvait pas le voir insulter la religion...

MARIE-LOUISE — Si j'm'en rappelle! À chaque fois que tu fais tes niaiseries, tu finis toujours par me parler du temps où tu m'appelais Marie-Lou... Y'est loin, c'temps-là, Léopold... Y'est ben loin, c'temps-là...

CARMEN — Pauvre innocente! Tu t'es jamais rendu compte que maman se servait de la religion exactement comme toé tu t'en sers?

LÉOPOLD — Mais tu l'as pas oublié...

MARIE-LOUISE — Tu me le rappelles assez souvent en me braillant dans les bras pis en me demandant pardon que j'peux pas l'oublier!

CARMEN — Moman, est-tait pas plus religieuse que moé, Manon! A se servait de la religion comme paravent! A se cachait en arrière de son paravent pour faire plus pitié!

MANON — J'sais pas comment tu peux parler d'elle de même...

LÉOPOLD — C'était le bon temps...

MANON — J'comprends pas c'que tu veux dire...

MARIE-LOUISE — Ah! sacrament, oui, c'était le bon temps!

CARMEN — Ben oui, tu comprends c'que j'veux dire! Fais donc pas l'hypocrite!

LÉOPOLD — Ben quoi, c'est pas vrai?

MARIE-LOUISE — Ben oui, c'est vrai, ben oui...

CARMEN — C'était une pognée qui s'est garrochée sur la religion comme sur un nénanne! A se défrustrait sur les balustrades d'église mais a pensait même pas à c'qu'a faisait! A se sacrait à genoux pour pas être obligée de se coucher...

MARIE-LOUISE — C'était le temps des paparmannes d'amour, pis des bonbons surettes, pis des honeymoons en chocolat, pis des sundaes au caramel... Un passé pareil, j'te dis que ça reste collé longtemps...

MANON — C'est pas vrai! J'l'ai déjà vue en prières à côté du lit, des grandes après-midi de temps!

CARMEN — Mais le sais-tu à quoi a pensait en dedans, par exemple? Toé, quand t'es t'à genoux à côté du lit, à quoi tu penses? Penses-tu au bon Dieu? Aux anges?

77

Pis aux saints ? Non ! Pantoute ! Tu penses juste que t'es ta mère, pis que ton père va v'nir t'arracher ton beau chapelet... Pis t'aimes ça... Ça a rien à voir avec la religion, ça...

MARIE-LOUISE — La semaine passée, en faisant le ménage des tiroirs du bas de ton bureau, j'ai trouvé un portrait... Aïe, un vieux portrait qui doit ben dater des années quarante quequ'... J'sais pas si tu sais quel j'veux dire... C't'un portrait que ma mère avait pris des quatre sœurs, chez nous...

LÉOPOLD — Oui, j'm'en rappelle... Vous êtes en pantalon, j'pense, toutes les quatre, pis en bas, t'avais marqué... « À toi, pour toujours, ta Marie-Lou »... « À toi, ... »

MARIE-LOUISE — ... pour toujours... pour toujours... J'te dis qu'avoir su...

MANON — Tu sais vraiment pas de quoi tu parles, Carmen...

LÉOPOLD — T'es pas la seule à tout regretter, tu sais ! Moé aussi, si j'aurais su, j't'aurais pas mariée ! J's'rais peut-être heureux, à l'heure qu'y'est ! Dans l'armée... ou en prison... mais ailleurs, ciboire, ailleurs !

MARIE-LOUISE — C'est ça, recommence à hurler, là, pis ta crise va revenir !

MANON — Quand t'es t'à genoux depuis ben ben longtemps, pis que tu penses de toutes tes forces, tu viens que t'es tout étourdie... On dirait que toute s'agrandit dans ta tête ! Toute vient grand... Carmen, des fois, j'me mets à frissonner... C'est vrai... j'tremble comme une feuille, j'perds l'équilibre... chus tellement ben ! On dirait que... On dirait que j'flotte ! J'me relève, j'viens m'asseoir icitte, j'me barce un peu, pis je recommence... J'accote ma tête sur le dossier de la chaise... Tu peux pas savoir...

MARIE-LOUISE — J'te dis que quand le nouveau p'tit va arriver, ça va faire une joyeuse maisonnée! Déjà, quand Roger était bebé pis qu'y braillait, la nuit, tu manquais de le tuer, des fois, parce qu'y voulait pas dormir... Que c'est que ça va être avec celui-là...

LÉOPOLD — Tu devrais t'entendre quand tu contes des affaires... T'exagères assez, là, que tu viens que t'es comique...

CARMEN — Mais à quoi tu penses pour être ben comme ça, hein? C'est ça qui est important...

MARIE-LOUISE — J'exagère pas...

CARMEN — Tu l'avouerais jamais à quoi tu penses pour partir sur des ballounes de même... Mais moé j'sais en maudit que c'est pas au bon Dieu que tu penses...

LÉOPOLD — A l'exagère pas! Voir si j'ai déjà «manqué de tuer Roger» parce que j'pouvais pas dormir! Ça m'est déjà arrivé de crier que j'le tuerais si y'arrêtait pas de crier, mais j'y ai jamais touché!

MARIE-LOUISE — Pas quand y'était p'tit... T'as attendu qu'y grandisse un peu... Pis astheur, tu t'en donnes à cœur joie!

CARMEN — Quand tu voyais moman en prière, c'est parce qu'a s'était arrangée pour que tu la voies! Pis toé, quand t'es t'en prière, t'espères toujours que quelqu'un va arriver... Que quelqu'un va te «surprendre»... Popa, peut-être...

LÉOPOLD — C'est ça, bourreau d'enfants par-dessus le marché...

MARIE-LOUISE — T'es pas un bourreau d'enfants, Léopold... T'es juste...

LÉOPOLD — Chus juste quoi...

MARIE-LOUISE — J'le sais pas...

MANON — Popa peut pas me surprendre, y'est mort depuis dix ans...

CARMEN — Pas dans ta tête...

MARIE-LOUISE —T'es juste un gars qui a toute fouerré dans sa vie pis qui se revenge sur sa famille au lieu de s'en prendre à lui-même...

LÉOPOLD — J'te dis que tu simplifies ça, une vie, toé !

MANON — Pis je prie pour lui... parce que... y'est peut-être... en enfer...

LÉOPOLD — Veux-tu que j'te dise c'que t'es, toé, Marie-Louise ?

CARMEN — Si tu pries vraiment, Manon, c'est pour qu'y reste en enfer, c'est pas pour qu'y'en sorte !

MARIE-LOUISE — Ça va être beau ! M'est avis que ça va être plus long, aussi !

MANON — Tu sors pas de l'enfer...

LÉOPOLD — T'es t'une vieille fille manquée. C'est ça que t'es. C'est court, hein ?

CARMEN — Pourquoi que tu pries, d'abord ?

MARIE-LOUISE — J'comprends que c'est court, mais ça veut rien dire, par exemple !

MANON — Tu peux jamais être sûre si quelqu'un est là ou non...

LÉOPOLD — Au contraire, ça veut tout dire...

CARMEN — Ça te sert à quoi de prier dans le beurre, d'abord !

MARIE-LOUISE — Ben oui, ça veut dire que j'arais jamais dû me marier, ça, tout le monde le sait, mais...

80

LÉOPOLD — Mais tout le monde sait pas pourquoi, par exemple !

MARIE-LOUISE — Pis toé tu le sais...

LÉOPOLD — Certainement que j'le sais...

MARIE-LOUISE, *en riant* — Ben envoye, conte-moé ça, d'abord...

MANON — Carmen, popa y s'est tué, pis y'a tué maman pis Roger...

CARMEN — Veux-tu arrêter de dire ça ! Veux-tu arrêter de penser tout croche, dc même ? C'est toé qui as décidé ça qu'y s'était tué ! T'as décidé ça dans ta p'tite tête, pis tu veux pas en démordre !

MANON — C'est vrai, Carmen, j'le sais que c'est vrai ! J'les ai entendus, c'te samedi matin là !

CARMEN — T'en reviens toujours là ! Pis ça fait dix ans... Pis t'en as probablement ben inventé depuis c'temps-là...

MANON — J'ai rien inventé !

CARMEN — Quand tu pars dans tes ballounes, ça t'arrive pas d'en ajouter, un peu, non ? Pis ça t'arrive pas de garder c'que t'as ajouté pis d'en inventer encore un peu plus la fois suivante ? Moé aussi j'étais là, c'te samedi matin là ; moé aussi j'les ai entendus ! Mais dans tout c'que tu contes depuis c'temps-là, y'a toujours un boute que tu laisses de côté... Y'a une grande partie de c'qu'y'ont dit que tu veux pas te rappeler... T'exagères tous les boutes où moman fait pitié pis tu passes ceux où c'est popa...

MANON — Popa, y'a jamais faite pitié, jamais !

CARMEN — Y faisait aussi pitié qu'elle, Manon ! Tu t'en rappelles pas la partie où tu m'as entraînée avec toé, parce que t'avais trop peur d'aller en arrière d'la porte tu-seule pour les espionner?

MANON — Oui, j'm'en rappelle... mais c'est pas popa qui était correct...

LÉOPOLD — Tu peux rire de moé tant que tu voudras, tu peux me traiter d'écœurant, de raté, de fou, tout c'que tu voudras, mais moé j'ai rien qu'un mot à dire pis tu vas arrêter ben raide...

MANON — Toé aussi t'en reviens toujours à ça... Comme si y'avait rien que ça dans le monde..

CARMEN — Y'a pas rien que ça dans le monde, c'est vrai, mais ça aide à vivre quequ'chose de rare!

MARIE-LOUISE — Dis-le donc, pour voir, ton mot...

LÉOPOLD — Même devant les enfants qui sont tous les trois cachés en arrière d'la porte?

(*L'éclairage change.*)

CARMEN — Y sait qu'on est là, viens-t'en...

MARIE-LOUISE — J'ai rien à cacher à mes enfants, moé! J'peux les faire rentrer, si tu veux...

MANON — Non, reste...

LÉOPOLD — Essaye donc, voir, laisse-les donc rentrer...

CARMEN — T'en veux une, volée, hein? T'as hâte qu'y t'en donne une...

MARIE-LOUISE — Et pis non, tu pourrais leu'dire des cochonneries, juste pour que j'me fâche... t'es t'assez fou...

LÉOPOLD — T'as peur, hein?

MARIE-LOUISE — J'ai pas peur pour moé...

LÉOPOLD — Oui, t'as peur pour toé...

MARIE-LOUISE — Pantoute!

LÉOPOLD — ... pis ben plus que pour les enfants!
T'as déjà commencé à parler de cochonneries, Marie-
Louise... t'as deviné du premier coup...

MARIE-LOUISE — C'est donc ça... c'est encore ça...
Tu penses donc rien qu'à ça...

MANON — Carmen, j'veux m'en aller...

(*Carmen éclate de rire...*)

LÉOPOLD — Ben oui, c'est encore ça... Écoutez, vous
autres, là, les senteux... Pis même toé, Carmen, qui
trouve ça drôle... Votre mère, là, a l'a toujours eu un
problème, pis a l'aura toujours : le cul!

(*Carmen arrête de rire...*)

MARIE-LOUISE — Léopold! Roger est trop p'tit pour
entendre parler de ça!

mais pas Manon ni Carmen

MANON — Carmen, j'veux pas l'entendre! J'veux pas
l'entendre!

CARMEN — T'as voulu v'nir, reste astheur! Pis écoute!

LÉOPOLD — Ben non, Roger est pas trop p'tit pour
entendre parler de ça! Les enfants en savent plus que
nous autres, aujourd'hui! C'est toé qui es trop p'tite,
Marie-Louise! Pis y'est temps que nos enfants le sachent,
à part de ça! Y'est temps qu'y'arrêtent de me considérer
comme un écœurant pis un sans-cœur parce que tu cries
au meurtre à chaque fois que j't'approche...

MARIE-LOUISE — Veux-tu te taire...

LÉOPOLD — J'ai pas honte de c'que j'ai à dire, moé,
Marie-Louise!

MARIE-LOUISE — Ben, c'est correct, d'abord, dis-lé!
Dis-lé donc, voir! Dis-lé donc une fois pour toutes
devant tout le monde c'qui te tracasse tant! Dis-lé
donc que je sache enfin que c'est qui peut ben te

83

prendre quand tu te garroches sur moé comme un écœurant...

LÉOPOLD — Tu vois, tu me rabaisses même avant que j'commence! Y'a une affaire que t'as jamais compris, Marie-Louise... Quand j'm'approche, des fois, dans le lit... quand j'te demande tranquillement pourquoi tu veux pas que j'te touche... parce que ça arrive que j'm'approche tranquillement, tu le sais... Marie-Louise, j'ai pas les mots pour t'expliquer ça...

MARIE-LOUISE — Ben, farme ta yeule, maudit sauvage!

(*Léopold donne un grand coup de poing sur la table.*)

LÉOPOLD — Si tu comprends rien que quand j'te crie par la tête, j'vas te crier par la tête, stie! Si t'arais pas toujours eu peur du cul, dans ta vie, si tu t'arais laissé faire, un peu, des fois, ça irait peut-être mieux dans'maison, Marie-Louise!

MARIE-LOUISE — Léopold!

LÉOPOLD — Si t'agirais pas comme une vieille fille qui garde sa cerise dans son frigidaire, si t'aimerais ça, un peu, le cul, ça serait peut-être plus endurable, ici-dedans!

MARIE-LOUISE — Veux-tu te taire... Veux-tu te taire, devant les enfants, maudit cochon!

LÉOPOLD — Hein, j'te l'avais dit que j'tais capable de te faire farmer la yeule rien qu'avec un mot! C'est vrai c'que tu disais t'à l'heure: en vingt ans de mariage, j'ai réussi à t'avoir rien que quatre fois... Les quatre fois que j't'ai faite des p'tits... Mais ça veut pas dire que chus t'un écœurant, ça! Penses-tu que c'est normal? Penses-tu que c'est normal pour du monde marié d'avoir faite ça quatre fois en vingt ans!

84

MARIE-LOUISE — Tu voudrais qu'on fasse ça soir et matin, comme des animaux ! Tu voudrais que je fasse comme les putains d'la Main ?

LÉOPOLD, *doucement* — Pourquoi pas...

MARIE-LOUISE — T'es fou... t'es fou, pis c'est vrai !

LÉOPOLD — Ben non, chus pas fou, Marie-Louise... Si vous aviez été moins pognées, toi pis tes sœurs... pis vot'mère...

MARIE-LOUISE — Ma mère a eu quatorze enfants, pis j'avais pas envie d'en avoir autant...

LÉOPOLD — Ta mère a eu quatorze enfants, mais ça veut pas dire qu'a l'aimait ça... Ça veut pas dire qu'a faisait ça avec ton père pour le plaisir... Pis après toute, est-tait peut-être moins pognée que toé...

MARIE-LOUISE — Le plaisir...

LÉOPOLD — Oui, le plaisir, Marie-Louise, le plaisir ! Tu te maries pas rien que pour avoir des enfants, imagine-toé donc ! Pis si tu veux absolument parler du bon Dieu, parce que j'te vois v'nir avec ton bon Dieu... Ben, ton crisse de bon Dieu, là, y'a mis du plaisir dans c't'affaire-là, pis c'est pas pour rien !

MARIE-LOUISE — Laisse donc le bon Dieu en dehors de ça, Léopold ! Tu sais pas c'que tu dis ! Le bon Dieu, y'a peut-être mis du plaisir là-dedans, mais y'en a mis rien que pour les hommes !

LÉOPOLD — Les femmes aussi peuvent jouir !

MARIE-LOUISE — Chus pas une cochonne, Léopold !

LÉOPOLD — Maudit que t'es bouchée ! J'te demande pas d'être cochonne !

MARIE-LOUISE — Oui, tu me le demandes ! Pour moé, faire ça, c'est cochon ! C'est bon pour les animaux...

Pis tu me verras jamais faire ça avec plaisir Léopold, jamais! Jamais!

(*L'éclairage change.*)

CARMEN — Tu t'es sauvée dans not'chambre, t'as fermé la porte, pis tu t'es couchée en dessous des couvertes... Tu savais que c'est lui qui avait raison... Moé, pour une fois, chus restée en arrière d'la porte... pis j'me sus juré...

LÉOPOLD — Y'en a de moins en moins du monde comme nous autres, Marie-Louise, pis c'est tant mieux...

MANON — Si tu t'es juré de rendre ton mari heureux, t'as manqué ton coup sur un vrai temps!

MARIE-LOUISE — Tu penses qu'y sont plus heureux, ceux qui commencent à faire ça à quatorze-quinze ans?

MANON — C'est pas comme t'es partie là que tu vas t'en trouver un, mari!

LÉOPOLD — Oui, j'pense qu'y sont plus heureux...

CARMEN — Non, j'me sus pas juré de rendre un homme heureux, pas de danger... j'aime ben que trop mon indépendance...

LÉOPOLD — Si t'arais pas toujours été si rétive, penses-tu qu'on serait après s'engueuler, à matin?

CARMEN — J'me sus juste juré de partir plus vite de c'te maudite trappe à rats là...

MARIE-LOUISE — Non, j'suppose qu'on serait encore couchés!

CARMEN — M'en aller!

MARIE-LOUISE — J'aime mieux m'engueuler, Léopold...

CARMEN — M'en aller ben loin...

86

LÉOPOLD — T'es même pas capable d'le dire... en plus de pas être capable d'le faire...

MANON —T'as jamais été plus loin que la Main...

CARMEN — Tu peux rester chez vous pis être ben loin de c'qui t'écrase, Manon... T'as juste à te séparer complètement de c'qui t'a mis dans'marde...

MARIE-LOUISE — J'arais peut-être été capable d'le faire, Léopold, si...

LÉOPOLD — Si quoi...

MANON — Comme ça, le jour même de leur mort, tu voulais t'en aller...

CARMEN — C'te samedi matin là, j'ai réalisé la même chose que popa : j'ai réalisé qu'y resteraient toujours dans leur marde... pis j'ai décidé que j'm'en sortirais, moé...

MARIE-LOUISE — J'arais peut-être été capable de le faire, pis j'arais peut-être, peut-être, aimé ça, si toé t'arais été capable, Léopold !

CARMEN — J'savais qu'y continueraient à se mettre les torts sur le dos l'un de l'autre jusqu'à la fin de leu'vie ! Pis sans jamais découvrir que c'était de leu' faute à tous les deux ! Pas rien qu'à popa, Manon...

MARIE-LOUISE — Tu réponds pas ! Là, j't'ai, hein ? Si au moins t'arais le tour ! Penses-tu que c'que tu me fais est agréable, pour une femme ?

CARMEN — Y'ont passé vingt ans de leur vie à se battre, pis si y'araient vécu encore vingt ans, y'araient continué à se battre... jusqu'à ce qu'y crèvent ! Parce qu'y'étaient pas capables de se toucher sans penser que l'un voulait faire mal à l'autre...

MARIE-LOUISE — Ma mère, a m'avait dit : « Je le sais pas si c'est un garçon pour toé, je le sais pas... Y'a des

87

drôles d'yeux ! Chez nous, à'campagne, j't'aurais pas laissé le marier, mais citte, en ville, t'en as rencontré ben, tu dois savoir c'que tu veux... »

(*Silence.*)

« Tu dois savoir c'que tu veux... » Ah oui, c'est vrai, j'le savais, au fond, c'que j'voulais : partir au plus sacrant d'la maison... Y'avait assez de monde dans c'te maison-là, pis c'était assez pauvre que... j'avais honte ! J'voulais m'en aller, essayer de respirer, un peu ! C'est vrai que j'en avais rencontré ben, des garçons... Mais lui, y'était plus fin que les autres, pis j'pensais qu'y me ferait juste changer de maison, pis que la nouvelle s'rait juste plus vide... plus propre... pis plus tranquille... J'savais à peine qu'y faudrait que j'me laisse faire par mon mari... Ma mère... Ah ! J'y en voudrai toute ma vie de pas m'en avoir dit plus... Ma mère, a m'avait juste dit : « Quand ton mari va s'approcher de toé, raidis-toé pis ferme les yeux ! Y faut que t'endures toute... c'est ton devoir. » Ben, je l'ai faite, mon devoir, sacrament ! Pis mon écœurant... tu m'a faite mal ! Tu m'as faite tellement mal ! J'arais voulu hurler, mais ma mère m'avait dit de serrer les dents ! Toé, tu t'apercevais de rien... Tu t'étais paqueté aux as parce que t'étais gêné pis t'étais pus capable de te contrôler... Tu t'es dégêné, all right ! « Si c'est ça, le sexe, que j'me disais, pus jamais ! Jamais ! Jamais ! » Toé, quand ton fun a été fini, tu t'es retourné de bord en rotant pis tu t'es endormi comme un bebé ! C'était la première fois qu'un homme dormait à côté de moé : y me tournait le dos, y ronflait, pis y puait ! J'arais voulu mourir là ! Quand tu t'es levé, le matin,

88

t'as parlé de ça comme d'une partie de bingo, en faisant des farces plates... Ciboire d'ignorant! C'est pas vrai, pas une seule fois t'auras essayé doucement, gentiment... T'es doux avant, tu pleurniches, ah oui, mais deux secondes après, t'es comme un pan de mur qui se décroche d'après la maison! Si t'avais su, toé, comment faire, peut-être que... Mais c'est pas à mon âge qu'on peut r'gretter ces affaires-là...

CARMEN — Comment veux-tu que ça marche dans une maison quand personne peut se frôler sans que t'entendes un cri de mort!

MANON — Tu dois être heureuse, astheur, tu dois pouvoir en frôler tant que tu veux, du monde!

CARMEN — Oui, j'en frôle tant que j'veux, du monde... J'ai pas l'air d'une morte, non plus!

MARIE-LOUISE — T'es toujours plein de bière pis tu pues quand tu m'approches, Léopold! T'as toujours mauvaise haleine! Chus t'un être humain, moé aussi, t'sais! Tu dis que les femmes peuvent jouir... Mais as-tu déjà essayé une fois, une seule fois dans ta vie, de...

LÉOPOLD — T'es pas une cochonne, mais t'es pognée mal, hein, Marie-Louise? T'es pas une cochonne, mais t'aimerais ben ça en être une, hein, ma belle Marie-Lou? Mais tu sais pas comment! Moé, j'prends mon plaisir, prends le tien!

(*Marie-Louise arrête de tricoter.*)

(*Elle dépose son tricot.*)

MANON — Si t'as trouvé ton bonheur, sacre-moé donc la paix... Moé aussi, je l'ai trouvé...

CARMEN — Y pue, ton bonheur, Manon! Y sent le mort, ton bonheur! Ça fait dix ans que tu sens le mort à plein nez! Y sont morts, pis c'est tant mieux, Manon!

MARIE-LOUISE — «Moé, j'prends mon plaisir, toé, prends le tien...» J'ai lu dans le *Sélection*, l'aut'jour, qu'une famille c'est comme une cellule vivante, que chaque membre de la famille doit contribuer à la vie de la cellule... Cellule, mon cul... Ah oui, pour être une cellule, c'est une cellule, mais pas de c'te sorte-là! Nous autres, quand on se marie, c'est pour être tu-seuls ensemble. Toé, t'es tu-seule, ton mari à côté de toé est tu-seul, pis tes enfants sont tu-seuls de leur bord... Pis tout le monde se regarde comme chien et chat... Une gang de tu-seuls ensemble, c'est ça qu'on est! *(Elle rit.)* Pis tu rêves de t'en sortir, quand t'es jeune, pour pouvoir aller respirer ailleurs... Esprit! Pis tu pars... pis tu fondes une nouvelle cellule de tu-seuls... «Moé, j'prends mon plaisir, toé, prends le tien!» Sacrament! *(Elle rit.)*

LÉOPOLD — Que c'est qui te prend à rire de même, tout d'un coup?

MARIE-LOUISE — J'prends mon plaisir, mon amour...

CARMEN — Plus t'es renfoncée dans tes souvenirs les plus écœurants, plus t'es t'heureuse...

MARIE-LOUISE — Pis quand tu regardes autour de toé, tu te rends compte que c'est partout du pareil au même... Tes frères, pis tes sœurs qui ont toutes faite des mariages d'amour, de quoi y'ont l'air après vingt ans de mariage, hein? Des cadavres!

CARMEN — T'as l'air d'un cadavre, Manon...

LÉOPOLD — Sais-tu c'que j'aurais envie de faire, des fois, ma belle Marie-Lou? Pogner la machine, vous mettre dedans, toé pis Roger, pis aller me sacrer

90

contre un pilier du boulevard Métropolitain... Carmen pis Manon sont assez grandes pour se débrouiller tu-seules... Nous autres... Nous autres, on sert pus à rien... À rien...

CARMEN — Quand j'ai pris la porte, tu-suite après l'accident, j'ai pris une grande respiration, pis j'me sus dit : « Le temps des lamentations est fini, ma belle Carmen ! Fini ! Oublie toute, pis recommence toute comme si rien s'était passé ! »

LÉOPOLD — On est juste des p'tits engrenages dans une grande roue... Pis on a peur de se révolter parce qu'on pense qu'on est trop p'tits...

CARMEN — Pis j'ai réussi à me débarrasser de toute mon passé, pour un temps... Un trou, dans ma tête... J'voulais pus rien savoir d'eux autres... C'est comme ça que j'ai réussi à faire c'que j'voulais... J'avais jamais osé dire à personne que j'voulais chanter, mais là, j'étais libre de foncer ! « Le temps des lamentations est fini, que j'me disais... Grouille ! » Ah ! j'te dirai pas que j'ai pas eu de misère, j'en ai eu... mais j'me sus jamais lamentée...

LÉOPOLD — Mais si y'a un engrenage qui pète, la roue va peut-être bloquer... On sait jamais...

CARMEN — Y'en a qui trouvent ça niaiseux, une chanteuse de chansons de cow-boy... Mais quand c'est ça que tu voulais faire, pis que t'as réussi à le faire, t'es ben moins niaiseuse que ben du monde... Ça te fait rien de manger d'la vache enragée pour un temps parce que tu sais qu'au moins t'aimes c'que tu fais... J'aime c'que j'fais, Manon...

LÉOPOLD — On sait jamais, d'un coup qu'a bloque, la roue...

91

CARMEN — Mais toé t'as jamais rien compris de ça...
Tu t'es renfermée encore plus dans les lamentations
au lieu d'essayer de t'en sortir.

LÉOPOLD — Mais c't'une câlice de grosse roue...

CARMEN — Y faudrait que tu comprennes qu'y'est
temps que tu sacres ton chapelet à terre, que tu te
débarrasses de tes saintes vierges en plâtre, que tu
mettes la clef dans'porte, pis que tu te vides la tête
de tout ça! Révolte-toé, Manon, c'est tout c'qu'y te
reste!

MARIE-LOUISE — C'est pas vrai que j'le veux pas,
c't'enfant-là...

CARMEN — Vide-toé la tête! Mets tes souvenirs
à'porte! Sors de ton esclavage! Reste pas assis là, à
rien faire! FAIS QUEQU'CHOSE!

MANON — Non. Chus pas capable, Y'est trop tard...

CARMEN — J'vas t'aider...

MANON — Non! Tu m'écœures! T'es sale!

MARIE-LOUISE — C'est pas vrai que j'le veux pas,
c't'enfant-là... J'le veux! Ah oui, j'le veux! Les
autres, j'ai pas pu m'en occuper parce que j'étais trop
ignorante, que j'savais pas comment m'y prendre ou
ben donc que j'étais trop occupée... Mais celui-là...
Celui-là, j'vas donc l'aimer! C'est le seul que j'aurai
vraiment aimé... pis j'vas donc l'aimer... Pis y'a
personne qui va y toucher! Ça va être mon enfant à
moé... C'est moé qui vas l'élever... Pis y'a personne
qui va y toucher... Ça va être mon enfant à moé...
À moé tu-seule... J'vas enfin être capable d'aimer
quelqu'un!

CARMEN — C'est toé qui es sale, Manon...

MARIE-LOUISE — Lui, y y touchera jamais... J'y permettrai jamais de mettre ses mains sales dessus !

CARMEN, *très lentement* — Moé... chus libre. Entends-tu ? Libre ! Quand j'monte sur le stage, le soir, pis que j'me place devant mon micro, pis que la musique commence, j'me dis que si y seraient pas morts, eux autres, j's'rais probablement pas là... Pis quand j'commence ma première chanson de cow-boy, chus tellement heureuse qu'y soient morts !

MANON — Va-t'en !

CARMEN — Pis chus tellement contente de m'être débarrassée de tout c'qui s'est passé dans c'te maudite prison-là... Les hommes, dans'salle, y me regardent... pis y m'aiment... C'est jamais les mêmes, y changent à chaque soir, mais à chaque soir, j'les ai !

MANON — Va-t'en !

CARMEN — J'pense... que chus t'une bonne chanteuse, Manon !

MANON — Va-t'en !

CARMEN — Pis... chus... heureuse.

MANON — Va-t'en !

(*Carmen se lève pour partir.*)

CARMEN — Tu vas finir comme eux autres, Manon... Entends-tu ? Mais j'te plains pas... même si t'essayes de faire pitié par tous les moyens ! Tu fais pas pitié, Manon ! Quand j'vas avoir passé la porte, j'vas t'oublier... toé aussi !

(*Elle sort.*)

(*Manon tombe à genoux.*)

MANON — Merci, mon Dieu...

MARIE-LOUISE, *regardant Léopold pour la première fois* — Léopold...

MANON — Merci, mon Dieu... merci... merci...

LÉOPOLD — Quoi...

MARIE-LOUISE — Tu pourras jamais savoir comment j't'haïs!

LÉOPOLD, *se lève* — Viens-tu faire un tour de machine, avec moé, à soir, Marie-Lou?

(Après un long silence, Marie-Louise se lève.)

(Noir.)

.

Achevé d'imprimer en août 2005 sur les presses de Marc Veilleux Imprimeur inc. Boucherville, pour le compte de Leméac Éditeur, Montréal. Dépôt légal, 1ʳᵉ édition: 2ᵉ TRIMESTRE 1971. (Éd. 01 / Imp. 13)

.